Resumen
práctico
de la
gramática
inglesa

Robert J. Dixson

y

Julio I. Andújar

Lexicon

⛪ Lexicon

This book was previously published by Pearson Education, Inc.
Edición 2007 by Betsabé Mazzolotti

ISBN: 978-1-59172-097-3 ISBN: 1-59172-097-4

PREFACIO

El propósito de esta obra, como lo explica su título, es el de proporcionar al estudiante de inglés un resumen práctico de la gramática inglesa. No se ha intentado incluir ni tratar a fondo todos los pormenores de la gramática inglesa. Es sencillamente un compendio de los elementos esenciales de la estructura gramatical de este idioma, para ayudar al estudiante de habla española en su proceso de aprendizaje, cualquiera que sea su nivel de conocimiento. Este Resumen Práctico, difiere de la mayoría de los textos de gramática en que la exposición de los puntos más relevantes de la gramática inglesa es breve, concisa y en español, presentando cada punto con sus correspondientes ejemplos y traducciones.

Se ha procurado relacionar cada nuevo aspecto gramatical con sus equivalencias en lenguaje y terminología familiares al estudiante, procurando utilizar el menor numero posible de tecnicismos gramaticales. No obstante, ya que es imposible hablar de gramática sin el uso de su terminología exclusiva, hemos incluido un glosario de términos gramaticales al principio del texto, con la idea de hacer más fácil el uso de este texto. Aquí se encontrarán, además de las reglas gramaticales básicas, observaciones útiles sobre analogías y contrastes entre ambos idiomas, así como traducciones en español de todos los ejemplos, frases y palabras usadas en el texto.

Debemos reiterar que este texto no pretende ser un curso completo de gramática inglesa, sino la herramienta suplementaria para la consulta y el análisis, en conjunto con cualquiera que sea el texto o textos principales que se empleen.

Los autores

ÍNDICE de MATERIAS

6 Verbos

GLOSARIO
DE TÉRMINOS GRAMATICALES

El siguiente glosario, presentado en orden alfabético, no pretende ser una lista completa de todos los términos que se emplean en la gramática inglesa, pero sí nos hemos enfocado en proveer al estudiante con el material necesario para hacer consultas y con material para reforzar su proceso de aprendizaje. Al consultar este glosario, es importante tomar en cuenta que hay variaciones en la terminología gramatical, dependiendo de la preferencia de los diferentes autores y especialistas en lingüística. Por esta razón, en este texto hemos tratado de escoger entre los más globalmente conocidos en el mundo hispano.

activa, voz active voice	Se habla en voz activa cuando el sujeto la acción del verbo. Ejemplo:

John reads the book.   *Juan lee el libro.*

Véase y compárese con la voz pasiva.

adjetivo adjective	Describe el nombre. Es decir, nos dice algo (tamaño, apariencia, color y otras cualidades) del nombre al que acompaña. Nótese que en inglés, generalmente el adjetivo antecede al nombre. Ejemplos:

a <u>big</u> house   *una casa grande*
many <u>wonderful</u> gifts   *muchos regalos maravillosos*

adverbio adverb	Modifica a un adjetivo, un verbo u otro adverbio y puede ir junto a estas palabras para indicar cómo, dónde, cúando o la circunstancias en que ocurre la acción. Ejemplos:

The mailman came <u>very late</u>.
El cartero vino muy tarde.
The turtle walks <u>slowly</u>.
La tortuga camina lentamente.

artículo *determinado* *o definido* definite article	El único artículo determinado o definido en inglés es **the**, y equivale a los artículos el, la, lo, los y las en español. Ejemplos:

the book   *el libro*
the tables   *las mesas*

artículo	El artículo indeterminado o indefinido en inglés: **a/an** equivale a

1

indefinido indefinite articles	los artículos un/una, y el artículo **some** a unos/unas/algún/algunos/alguna-s en español. Ejemplos:

a boy   *un muchacho*
a girl   *una muchacha*
an apple   *una manzana*
some apples   *unas/algunas manzanas*
some money   *algún dinero*

auxiliares, verbos
auxiliary or
helping verbs

Son verbos que empleamos para formar los tiempos compuestos, las preguntas y las negaciones. Entre los que más se usan están los verbos *(to)* **have**, *(to)* **do** y *(to)* **be**. Ejemplos:

We <u>have</u> been here all day.
Hemos estado aquí todo el día.
Where <u>do</u> you live?
¿Dónde vive Ud.?
She <u>does</u> not sing well.
Ella no canta bien.
I <u>am</u> writing a letter.
Estoy escribiendo una carta.

comparativos
comparatives

Los comparativos son grados o niveles de los adjetivos y los adverbios que nos permiten comparar las cualidades entre dos o más personas, cosas o acciones. Ejemplos:

This desk is newer than that one.
Este escritorio es más nuevo que ése.
A cat runs faster than a dog.
Un gato corre más rápido que un perro.

complementos
objects

Los complementos, también conocidos como objetos, son las personas o cosas que reciben la acción del verbo. Los complementos pueden ser directos o indirectos. Ejemplos:

Direct object (complemento directo):
Mary takes <u>a picture</u>.
María toma una fotografía.

Indirect object (complemento indirecto):
We sent a present <u>to our friends</u>.
Enviamos un regalo a nuestros amigos.

condicional

El modo condicional o potencial del verbo nos permite especular o

conditional	hablar de posibles situaciones o resultados basándonos en condiciones irreales o imaginarias. Ejemplo:

If I had time, I <u>would take</u> a long vacation.
Si tuviera tiempo, yo tomaría unas vacaciones largas.

conjugación conjugation	La conjugación es el acto de conjugar un verbo, es decir expresar todas las formas correspondientes a los distintos tiempos verbales.
conjunción conjunction	Las conjunciones son palabras que sirven para unir dos palabras o frases. Ejemplos:

Carmen <u>and</u> Helen are friends.
Carmen y Elena son amigas.
Carmen works, <u>but</u> Helen goes to school.
Carmen trabaja, pero Elena va a la escuela.

continua, forma progressive form	La forma continua o progresiva de los verbos, expresada por su terminación **-ing** más el verbo **(to) be**, indica que la acción o condición transcurre o continúa por un período de acuerdo con el tiempo en que se use el verbo **(to) be**, ya sea que es continua en el presente, fue continua en el pasado, o será continua en el futuro. Ejemplos:

I am walking.   *Estoy caminando.*
You were talking.   *Ustedes estaban hablando.*
They will be studying.   *Ellos estarán estudiando.*

demostrativo demonstratives	Los pronombres demostrativos (**this, these, that, those**) nos sirven para distinguir, señalar e indicar el lugar y distancia a que están las cosas u otras personas. Ejemplos:

This house is very pretty.   *Esta casa es muy bonita.*
These flowers are for you.   *Estas flores son para ti.*
That dog is very friendly.   *Ese perro es muy amistoso.*
Those trees will be cut.   *Esos árboles serán cortados.*

directo, estilo direct style	En el lenguaje oral, el estilo directo se usa para repetir o reportar exactamente las palabras dichas por otra persona. Al escribirlas, es necesario utilizar comillas para indicarlas palabras citadas. Ejemplo:

My mother always told me, "Never talk to strangers."
Mi madre siempre me decía: "Nunca hables con desconocidos".

3

Véase y compárese con el estilo indirecto.

frases verbales phrasal verbs	Una frase verbal (phrasal verb) es un verbo al cual se le ha agregado una partícula, siendo ésta una preposición o adverbio. Al usar diferentes partículas, el verbo adquiere un significado diferente al original. Ejemplos:

turn on	turn off	put off	put away
encender	*apagar*	*posponer*	*guardar*

gerundios
gerunds

Los gerundios son verbos que actuan como nombres o sustantivos (verbal nouns) y pueden desempeñarse como sujeto de una oración, objeto de un verbo o una preposición. Para formar el gerundio, se agrega la terminación *–ing* a la raíz de un verbo, de la misma manera que se forma un participio presente (ver Participios). Ejemplos:

Dancing is a fun activity.
Bailar es una actividad divertida.
I prefer staying home.
Prefiero quedarme en casa.
I'd like to eat before leaving.
Me gustaría comer antes de irme.

imperativo
imperatives

El imperativo es el modo verbal de las órdenes o mandatos. Ejemplo:

Put on your shoes!   *¡Ponte los zapatos!*

indefinidos
indefinites

Los indefinidos son generalmente pronombres que nos sirven para referirnos a personas, lugares o cosas sin definir específicamente quiénes o qué son. Por ejemplo:

someone	*alguien*
something	*algo/alguna cosa*
everyone	*todos*
everything	*todo/todas las cosas*

indirecto, estilo
indirect style

Al hablar, se usa el estilo indirecto para relatar o reportar lo que otros han dicho, pero sin repetir literalmente cada palabra. Por ejemplo:
The teacher told them to study.
El maestro les dijo que estudiaran.

4

infinitivo infinitives	El infinitivo de los verbos es la forma básica, no conjugada, de los verbos. En inglés, para indicar la forma infinitiva de los verbos, es necesario anteponerles la palabra *to*: *(to) play*, *(to) drink*, *(to) go*, *(to) be*, etc.
intransitivo, *verbo* intransitive verbs	La acción de un verbo intransitivo no recae sobre una persona u objeto, por lo tanto no se acompaña de un objeto directo. Ejemplos:

The sun shines until very late.
El sol brilla hasta muy tarde.
Birds fly.
Los pájaros vuelan.

Véase y compárese con los verbos transitivos.

modos moods	Un verbo puede estar en uno de tres modos: Indicativo, Imperativo o Subjuntivo. El más común es el indicativo, que se usa para declarar, explicar y expresar ideas. La mayoría de lo que decimos o leemos está en modo indicativo. El imperativo es para expresar órdenes o mandatos. El subjuntivo es para expresar incertidumbre, esperanza, deseos, situaciones hipotéticas, dudas, etc. No debemos confundir el modo de un verbo con sus conjugaciones (ver Conjugación).
nombre o *sustantivo* nouns	Los nombres o sustantivos son palabras que utilizamos para referirnos a personas, lugares, ideas, conceptos abstractos o cosas en general. Por lo general, un nombre puede servir de sujeto o de objeto en una oración. Ejemplos:

The teacher gave us homework.
El maestro nos dio tarea.
Kindness is necessary to live in peace.
La bondad es necesaria para vivir en paz.

nombres *contables* countable nouns	Como lo indica la palabra, los nombres contables son aquellos que podemos contar o cuantificar. Ejemplos:	
	a pencil	*un lápiz*
	four houses	*cuatro casas*
nombres *no contables* non-countable	Por lo general, los nombres no contables se usan para nombrar conceptos abstractos, tales como ideas, cualidades personales y sentimientos, sustancias o materias, categorías, actividades, etc.	

| nouns | Los nombres no contables se denominan así porque no se les puede contar por unidades. Casi en su totalidad, los nombres no contables no tienen forma plural, y por lo tanto, concuerdan con la forma singular de los verbos. Por ejemplo: |

Sugar is sweet.   *El azúcar es dulce.*
Love is always welcome.   *El amor siempre es bienvenido.*

*objeto o
complemento
objects*

El objeto o complemento es la palabra/s (persona/s o cosa/s) que recibe la acción del verbo. Si recibe la acción directamente, es un objeto o complemento directo. Ejemplo:

She is reading <u>a book</u>.
Ella está leyendo un libro.

Si recibe la acción de forma indirecta, es un objeto o complemento indirecto. Ejemplo:

I wrote a letter <u>to my sister</u>.
Escribí una carta a mi hermana.

*oración
sentence*

En inglés como en español, la oración es un grupo de palabras que expresa un pensamiento completo. Cuando la oración no es completa, se dice que es un fragmento *(fragment)*. Ejemplos:

Oración completa: Helen read that book last week.
     *Elena leyó ese libro la semana
     pasada.*
Fragmento: As soon as the mail arrives...
     Tan pronto como llegue el correo...

Hay cuatro clases de oraciones: enunciativas, interrogativas, imperativas y exclamativas.

Las oraciones enunciativas (declarative) nos manifiestan, exponen o nos declaran algo. Pueden ser afirmativas o negativas. Ejemplos:

All my friends came to visit me yesterday.
Todos mis amigos vinieron a visitarme ayer.
Andrew did not work lask week.
Andrés no trabajó la semana pasada.
Las oraciones interrogativas (interrogatives) sirven para preguntar. Ejemplos:

6

Is it going to rain today?
¿Va a llover hoy?

Las oraciones imperativas (imperatives) sirven para dar órdenes.
Ejemplo:

Do not run on the wet floor!
¡No corras sobre el piso mojado!

Las oraciones exclamativas (exclamatory) sirven para indicar sorpresa, énfasis o demostrar emoción. Ejemplos:

What a beautiful painting!
¡Qué cuadro tan lindo!
I love the summer!
¡Me encanta el verano!

participio pasado past participle	El participio pasado es la forma verbal que se une generalmente a un verbo auxiliar para formar los tiempos perfectos. También se usa en la construcción de la voz pasiva. Para formar el participio pasado generalmente se agrega la terminación *–ed* a la raíz de un verbo regular; sin embargo, existe una extensa lista de verbos con participios pasados irregulares que no siguen esta regla (ver lista en pg. 102). Ejemplos:

(to) break - broken   *romper - roto*
(to) do - done   *hacer - hecho*
(to) write - written   *escribir - escrito*

participio presente present participle	El participio presente se forma agregando la terminación *–ing* a la raíz de un verbo y se usa para formar las formas continuas o progresivas. La terminación *–ing* de un verbo tambien se refiere a la forma llamada gerundio, pero ésta difiere de un participio presente en su función dentro de la oración (ver Gerundio). Ejemplos:

He <u>is studying</u> now.   She <u>has been walking</u> a lot.
El está estudiando ahora.   *Ella ha estado caminando mucho.*

pasiva, voz passive voice	Se habla en voz pasiva cuando el sujeto recibe o es afectado por la acción del verbo. Por lo general, la voz pasiva en inglés se forma con el verbo pasado del verbo. También, aunque no necesariamente, se nombra al agente de la acción precedido de la preposición *by* (por). Ejemplos:

Many houses were built by the same architect.
Muchas casas fueron construidas por el mismo arquitecto.
The book Don Quixote was written by Cervantes.
El libro Don Quijote fue escrito por Cervantes.

Véase y compárese con la voz activa.

perfectos (tiempos)
perfect tenses

Los tiempos perfectos son tiempos compuestos del pasado o pretérito que se forman al juntarse el verbo *(to) have* (haber) en tiempo presente, pasado o futuro: *have, had, will have,* con el participio pasado de otro verbo. Por ejemplo, el participio pasado del verbo *to see* (ver) es *seen.* Entonces, el presente perfecto (en español, pretérito perfecto) es: *I have seen it.* (Lo he visto). El pasado perfecto es: *I had seen it.* (Lo había visto) y el futuro perfecto es: *I will have seen it.* (Lo habré visto).

plural y singular
plural and singular

El nombre en forma plural significa que nos estamos refiriendo a dos o más personas o cosas, y en su forma singular está indicando una sola persona o cosa. Esto se llama número del nombre o sustantivo.

Singular:	A house	*una casa*
Plural:	many boys	*muchos muchachos*

posesivos
possessives

Hay adjetivos posesivos: *my, your, his, her, its, our* y *their,* y pronombres posesivos: *mine, yours, his, hers, its, ours* y *theirs.* En ambos casos estas palabras se usan para decir a quién le pertenece algo. Ejemplos:

His book is bigger than mine.
Su libro es más grande que el mío.

preposiciones
prepositions

Las preposiciones sirven para establecer una relación entre el sujeto y el verbo, e indica lugar, duración o movimiento. Ejemplos:

The book is on the table.
El libro está sobre la mesa.
The cars pass through the tunnel.
Los coches pasan por el túnel.

pronombre
pronouns

Como la palabra lo indica, el pronombre sustituye al nombre. Dependiendo de la situación en que se usen, los pronombres pueden ser:

pronombres personales (subject pronouns) que sirven como sujetos de la oración (**I, you, he, she, it, we, they**). A estos pronombres también se les conoce como caso nominativo.

pronombres como complementos (object pronouns) que sirven como complementos de la oración (**me, you, him, her, us, them**). A estos pronombres también se les conoce como caso acusativo.

pronombres posesivos (possesive pronouns) que sirven para decir a quién le pertenece algo: **mine, yours, his, hers, ours, theirs.**

pronombres demostrativos (demonstrative pronouns) que sirven para señalar e indicar el lugar y distancia a que están situadas otras personas o cosas: **this, that, these, those.**

pronombres reflexivos (reflexive pronouns) que sirven para indicar que el sujeto o persona que lleva a cabo la acción es también el que la recibe: **myself, yourself, himself, herself, ourselves, themselves.**

pronombres interrogativos (interrogative pronouns) que sirven para hacer preguntas: **who, what, which, where, when, how much, how many**, etc.

---

raíz
root or stem

La raíz de los verbos la constituye la palabra de origen del verbo y sirve para construir las formas que del mismo se derivan. Por ejemplo, de la raíz del verbo **work** (trabajar) se deriva el gerundio **working**, el participio o pasado **worked**, etc.

---

reflexivos, verbos
reflexive verbs

Un verbo es reflexivo cuando su acción recae sobre el mismo sujeto que la realiza. En español, indicamos acciones reflexivas usando pronombres reflexivos (se, te, me, nos, etc.). Los pronombres reflexivos en inglés son: **myself, yourself, himself**, etc. Ejemplo:

I burned myself when I was cooking.
Me quemé cuando estaba cocinando.

---

singular y plural
singular and plural

Singular significa que sólo nos estamos refiriendo a una persona o cosa. Es lo opuesto de plural. Ejemplos:

| Singular: | a house | *una casa* |
| Plural: | five men | *cinco hombres* |

---

sujeto
subject

El sujeto de la oración es la persona, cosa o entidad que ejecuta la acción del verbo. Ejemplo:

The <u>cat</u> ate the canary.	The <u>bank</u> closed my account.
El gato se comió al canario.	*El banco cerró mi cuenta.*

superlativo
superlative

El grado superlativo de los adjetivos o los adverbios se usa para indicar que algo o alguien posee el máximo grado de una cualidad dada, en comparación con otros elementos o personas del mismo grupo. Ejemplos:

The sun is the <u>closest</u> star.
El sol es la estrella más cercana.
She is the <u>most intelligent</u> student of her class.
Ella es la alumna más inteligente de su clase.

tiempos verbales
verb tenses

transitivo, verbo
transitive verbs

Los tiempos verbales nos indican el momento o tiempo en que ocurre la acción, o la duración de ellas. Estos eventos o acciones pueden ocurrir en el pasado, en el presente o en el futuro. Los verbos transitivos se acompañan de un complemento directo (direct object) para indicar sobre qué cosa recae la acción del verbo.

She <u>buys books</u>.	*Ella compra libros.*

En este caso, el verbo **buy** (comprar) es transitivo porque la acción del verbo recae sobre el complemento directo **books** (libros).

Definición: Los nombres o sustantivos son palabras que nombran a personas, animales, plantas y a cosas concretas o abstractas.

Los nombres en inglés, como en español, se dividen en dos categorías generales: comunes y propios. Comunes son aquellos nombres que se refieren a objetos y cosas de uso común. Nombres propios son aquellos que nombran específicamente a personas, pueblos, ciudades, países, etc. Al igual que en español, los nombres comunes no se escriben con mayúscula. Los nombres propios siempre se escriben con mayúscula. En inglés los nombres de los días de la semana y los meses del año se consideran como propios y, por lo tanto, se escriben también con mayúscula. Ejemplos:

Monday	*Thursday*	*February*
lunes	*jueves*	*febrero*

El género de los nombres es de poca importancia en la gramática inglesa, por lo tanto los nombres en inglés no tienen terminaciones especiales para indicar el género al que pertenecen. Los nombres que se refieren a personas del sexo masculino se consideran que pertenecen a este género. Ejemplos:

man	*boy*	*waiter*
hombre	*muchacho*	*camarero*

Los nombres que se refieren a personas del sexo femenino se consideran que pertenecen a este género. Ejemplos:

woman	*girl*	*waitress*
mujer	*muchacha*	*camarera*

Los artículos y adjetivos son invariables y, por lo tanto, no cambian de forma para corresponder con el género del nombre al que modifican. Ejemplos:

a small boy	*a small girl*	*a small box*
un muchacho pequeño	*una muchacha pequeña*	*una caja pequeña*

Hay otras dos maneras importantes de agrupar los nombres en inglés: los nombres contables (countable) y los nombres no contables (non-countable).

1) Nombres contables

Como lo indica la palabra, los nombres contables son aquéllos que podemos contar o cuantificar por unidades. Ejemplos:

a pencil	*un lápiz*
four houses	*cuatro casas*
one hundred men	*cien hombres*
billions of stars	*billones de estrellas*

Debido a esta cualidad de poder ser contados, los nombres contables pueden ser singulares y plurales. Singular es cuando sólo se menciona a uno ***a book*** (un libro) y plural, cuando se menciona a más de uno, ***two boys, many trees*** (dos muchachos, muchos árboles).

2) Nombres no contables

Por lo general, los nombres no contables se usan para nombrar conceptos abstractos tales como ideas, cualidades personales y sentimientos, sustancias o materias, comidas, categorías, actividades, deportes, palabras que se refieren al clima, etc. Los nombres no contables se denominan así porque no se les puede contar por unidades. La gran mayoría de los nombres incontables no tienen forma plural y, por lo tanto, concuerdan con la forma singular de los verbos. Por ejemplo: ***Sugar is sweet***. (El azúcar es dulce.)

Las siguientes son algunas de las categorías en que los nombres no contables se pueden agrupar:

Conceptos abstractos		Sustancias, materias y masas	
happiness	*felicidad*	iron	*hierro*
love	*amor*	water	*agua*
frienship	*amistad*	cereal	*cereal*
help	*ayuda*	ice	*hielo*

Comidas		Categorías	
coffee	*café*	money	*dinero*
lettuce	*lechuga*	machinery	*maquinaria*
salt	*sal*	fruit	*fruta*
meat	*carne*	mail	*corre*

Actividades y deportes		Palabras que se refieren al clima	
dancing	*danza*	rain	*lluvia*
golf	*golf*	lightning	*relámpago*
swimming	*natación*	wind	*viento*
basketball	*baloncesto*	temperature	*temperatura*

B. Formación del plural de los nombres contables

1) En inglés el plural de la mayoría de los nombres se forma añadiendo –*s* al singular. Ejemplos:

singular	plural		
book	books	*libro*	*libros*
table	tables	*mesa*	*mesas*

2) A aquellos nombres que terminan en –*s* u otros sonidos afines (*s, z, ch, sh, x*), se les añade –*es* en lugar de –*s*, por razones de pronunciación. La terminación es en estos casos se pronuncia como una sílaba separada. Ejemplos:

singular	plural		
brush	brushes	*cepillo*	*cepillos*
glass	glasses	*vaso*	*vasos*
box	boxes	*caja*	*cajas*
church	churches	*iglesia*	*iglesias*

3) Todos los nombres que terminan en –*y* precedida de una consonante, cambian la –*y* por la –*i* y se les añade –*es*. Sin embargo, si la –*y* está precedida de una vocal, solamente se les añade –*s*.

singular	plural		
lady	ladies	*dama*	*damas*
fly	flies	*mosca*	*moscas*
key	keys	*llave*	*llaves*
boy	boys	*muchacho*	*muchachos*

4) La mayoría de los nombres que terminan en –*o* precedida de una consonante, forman el plural al añadírseles –*es*.

singular	plural		
tomato	tomatoes	*tomate*	*tomates*
hero	heroes	*héroe*	*héroes*

5) Cuando el nombre termina en –*f* o –*fe*, el plural se forma generalmente cambiando su terminación a –*ves*.

13

singular	plural		
knife	knives	*cuchillo*	*cuchillos*
thief	thieves	*ladrón*	*ladrones*

6) Algunos nombres en inglés forman el plural de una manera especial. Por ejemplo:

singular	plural		
man	men	*hombre*	*hombres*
woman	women	*mujer*	*mujeres*
foot	feet	*pie*	*pies*
tooth	teeth	*diente*	*dientes*
child	children	*niño*	*niños*
person	people	*persona*	*personas (gente)*

C. Forma posesiva de los nombres

1) Se forma el posesivo de los nombres en singular añadiendo la terminación –'*s* al final de la palabra. Ejemplos:

Henry's brother   *el hermano de Enrique*
The dog's tail   *la cola del perro*

2) Se forma el posesivo de los nombres en plural que terminan en –*s*, añadiéndose solamente el apóstrofo al final de la palabra. Ejemplos:

the boys' school   *la escuela de los muchachos*
the dogs' tails   *las colas de los perros*

Cuando el nombre en plural no termina en –*s*, se forma el posesivo de la misma manera que el caso anterior. Por ejemplo:

the children's school   *la escuela de los niños*
the women's bathroom   *el baño de las mujeres*

3) La forma posesiva se emplea usualmente con personas y animales, y rara vez con objetos o cosas.* Por eso se dice igual que en español:

the door of the house   *la puerta de la casa*
the end of the movie   *el fin de la película*

4) En una conversación informal, es frecuente la omisión del nombre u objeto poseído, quedando éste sobreentendido. Ejemplos:

at the dentist's   *en la consulta del dentista*
at Henry's   *en casa de Enrique*

at my friend's	en casa de mi amigo
at Robinson's	en la tienda (de) Robinson

5) En oraciones donde el objeto poseído antecede al nombre que lo posee, se usa una forma posesiva doble, la preposición de pertenencia *of* más la terminación posesiva *–'s*. Ejemplos:

He is a friend of Mary's.
Él es un amigo de María.
They are relatives of the Millers'.
Ellos son parientes de la familia Miller.

*Existen algunas excepciones a esta regla: *a stone's throw*, a tiro de piedra; *a day's journey*, un viaje de un día; *a week's time*, periodo de una semana; *in heaven's name*, en nombre del cielo, etc. Nótese que estas excepciones se refieren a cosas personificadas o que indican espacio o tiempo.

D. Uso de "there is/there are" con los nombres

Se usa la palabra *there* más las formas del verbo *(to)be*, *is/are, was/were*, etc, para introducir la idea de que algo hay o existe en un lugar determinado. Para usarla con nombres en forma singular, decimos *there is* y para indicar nombres en plural, decimos *there are*, y en sus formas negativas, decimos *there isn't, there aren't*. Ejemplos:

There is a little girl playing in the room.
Hay una niñita jugando en el cuarto.
There are 30 chairs in the classroom.
Hay 30 sillas en el salón de clases.
There was sadness in her eyes.
Había tristeza en sus ojos.
There were many foreign guests in the hotel.
Había muchos invitados extranjeros en el hotel.
There isn't a star in the sky.
No hay ninguna estrella en el cielo.
There aren't many books in the library.
No hay muchos libros en la biblioteca.

La palabra *there* más el verbo *(to) be*, usada para indicar que algo existe, puede también llevar otros verbos auxiliares, en oraciones afirmativas o negativas:

There will be, there would be, there might be, there must be, there should be, etc.

There will be many beds in the new hospital.
Habrá muchas camas en el nuevo hospital.
There would be fewer accidents if drivers were more careful.
Habría muchos menos accidentes si los choferes fueran más cuidadosos.

15

There might be consequences if we don't go to the company's party.
Podría haber consecuencias si no vamos a la fiesta de la compañía.
She looks angry; there must be a reason for it.
Ella se ve enojada. Debe haber una razón para ello.
There shouldn't be any problems with my car; I just took it to the mechanic.
No debería haber ningún problema con mi auto. Recién lo llevé con el mecánico.

EL PRONOMBRE 2

Definición: Los pronombres son palabras que reemplazan al nombre o sustantivo. Existen varias clases de pronombres dependiendo de la función que desempeñan en al oración.

A. Pronombres personales

Los pronombres personales (*I, you, he, she, it, we, you, they*) funcionan como el sujeto de una oración. Ejemplos:

She lives in New York.	*Ella vive en Nueva York.*
Do you like playing tennis?	*¿Te gusta jugar tenis?*

Nótese que en inglés la forma *you* se usa para indicar segunda persona, ya sea singular o plural. Corresponde a las formas tú, usted, ustedes, vosotros o vosotras en español.

B. Los pronombres como objeto o complemento (object pronouns)

Estos pronombres (*me, you, him, her, it, us, you, them*) funcionan como objeto o complemento de un verbo o preposición. Ejemplos:

Como objeto del verbo:

Give me the book.	*Dame el libro.*
He told you to come tonight.	*El te dijo que vinieras esta noche.*
I bought it at the store.	*Lo compré en la tienda.*

Como objeto de la preposición:

Helen studies English with us.	*Elena estudia inglés con nosotros.*
This gift came from her.	*Este regalo vino de parte de ella.*
I arrived before him.	*Llegué antes que él.*

El cuadro siguiente muestra la correspondencia de los pronombres personales con el pronombre que funciona como objeto del verbo o preposición.

	Subject Pronoun (Pronombre personal)	Object Pronoun (Pronombre como objeto)
Singular	I (yo)	me (me, a mí)
	you (tú, usted)	you (te, a ti)
	she (ella)	her (le, a ella)
	he (él)	him (le, a él)
	it (esto, aquello)	it (lo, a esto/aquello)
Plural	we (nosotros/as)	us (nos, a nosotros)
	you (ustedes, vosotros/as) you	(les, a ustedes)
	they (ellos/as)	them (les, a ellos/as)

C. Pronombres posesivos

Los pronombres posesivos sirven, como su nombre lo indica para indicar posesión. Estos pronombres son: **mine, yours, his, hers, ours, theirs**, y guardan cierta similitud con los adjetivos posesivos *(my, his, her, its, our, your, their)*. Para diferenciarlos, debemos fijarnos en que los adjetivos posesivos son siempre seguidos por el nombre al que modifican para mostrar posesión, mientras que esto no sucede con un pronombre posesivo. Ejemplos:

Possesive Pronoun pronombre posesivo	Possesive Adjective adjetivo posesivo
That book is <u>mine</u>. *Ese libro es mío.*	That is <u>my</u> book. *Ese es mi libro.*
Is this pen <u>yours</u>? No, it's <u>hers</u>.	*¿Este lapicero es tuyo? No, es de ella.*
Is this your pen? No, it's her pen.	*¿Es éste tu lapicero? No, es el lapicero de ella.*

Los pronombres posesivos, al no modificar a un nombre, son independientes de cualquier otra palabra en la oración y su forma es determinada simplemente por la persona a la que se refieren. Los pronombres posesivos se usan para evitar la repetición de cierta palabra o palabras en una oración. En vez de decir: **This book is my book.** se dice: **This book is mine**. Estos pronombres no tienen una forma especial para el plural, por lo tanto se puede decir: **This book is mine.** (Este libro es mío.) o **Those books are mine.** (Esos libros son míos).

D. Pronombres reflexivos

Los pronombres reflexivos (**myself, yourself, himself, herself, itself, ourselves, yourselves, themselves**) se usan cuando el sujeto de la oración y el objeto del verbo son la misma persona. La acción del verbo es dirigida hacia la misma persona que la ejecuta. Ejemplos:

He hurt himself.	*Él se lastimó.*
She burned herself.	*Ella se quemó.*
I made myself a good breakfast.	*Me hice un buen desayuno.*

Las siguientes son las formas más comunes de usar los pronombres reflexivos:

1) para enfatizar el hecho de que una persona puede hacer algo por sí sola y sin ayuda, o para enfatizar el nombre o pronombre que sirve de sujeto de la oración.

He can do the work himself.	*Él puede hacer el trabajo por sí mismo.*
The doctor herself talked to us.	*La doctora misma habló con nosotros.*

2) cuando son precedidos por la preposición **by**, tienen el mismo significado que el adjetivo **alone** (solo, sin compañía). Ejemplos:

He did everything by himself, without any help.
Él hizo todo solo, sin ninguna ayuda.
I do not like to go to the theatre by myself.
No me gusta ir al teatro sola.

El siguiente cuadro nos muestra la correspondencia de los pronombres personales con sus pares posesivos y reflexivos:

Personal Pronouns (Pronombres personales)	Possesive Pronouns (Pronombres posesivos)	Reflexive Pronouns (Pronombres reflexivos)
I (yo)	mine (mío/a)	myself (me)
you (tú, usted)	yours (tuyo/a, suyo/a)	yourself (te, se)
he (él)	his (suyo, de él)	himself (se)
she (ella)	hers (suya, de ella)	herself (se)
it (esto, aquello)	(*)	itself (se)
we (nosotros/as)	ours (nuestro/a, de nosotros)	ourselves (nos)
you (ustedes, vosotros/as)	yours (vuestro/a, de ustedes)	yourselves (se, os)
they (ellos/as)	theirs (suyo/a, de ellos/as)	themselves (se)

(*) Nota: La forma posesiva *its* del pronombre *it*, solo se usa como adjetivo posesivo y no como pronombre posesivo.

Los pronombres demostrativos se usan para referirse a cosas en general. Estos pronombres son: *this* (éste), *that* (ése, aquél), *these* (estos, estas) y *those* (esos, esas). *This* and *these* se usan para indicar objetos cercanos, y that and those se usan para indicar objetos lejanos. Ejemplos:

Singular:
This is my book.   *Éste es mi libro.*
That one over there is mine.   *Ese que está allí es mío.*

Plural:
These trees are growing fast.   *Estos árboles están creciendo*
                                    rápido.
Are those children playing on the yard yours?   *¿Son suyos aquéllos niños*
                                    jugando en el patio?

Los pronombres relativos se usan para enlazar una frase o cláusula a otra frase o cláusula. Generalmente la frase o cláusula que empieza con el pronombre sirve para describir o explicar algo relativo al sujeto de la oración. Estos pronombres son *who* (quien), *whom* (quien, a quien), *that* (que), *which* (que, el cual, lo cual), y *whose* (cuyo/a). Ejemplos:

The man who called on the phone was my brother.
El hombre que telefoneó era mi hermano.
I like books which have good topics.
Me gustan los libros que tienen buenos temas.

1) W*hom* (quien, a quien) se usa como objeto de las preposiciones o del verbo, y se usa más bien en conversaciones formales o en inglés escrito. Ejemplos:

The man whom you saw is Mr. Smith.   *El hombre a quien usted vio es el*
                                    señor Smith.
The girl with whom you spoke is my sister.   *La muchacha con quien usted*
                                    habló es mi hermana.

2) *Which* se usa para referirse a animales o cosas. Tiene la misma forma cuando se usa como sujeto o como objeto del verbo. Ejemplo:

The book which arrived in the mail was not the one I had ordered.
El libro que llegó por correo no era el que yo había pedido.

3) *Whose* (cuyo/a) se usa más para expresar posesión, de la misma forma que los adjetivos posesivos *(my, your, his, her, etc)* ya que también está conectado a un nombre *(his book or whose book)*. Ejemplos:

The man whose sister you met yesterday is here now.
El hombre, cuya hermana conociste ayer, está aquí ahora.
The book, whose cover has the author's picture, is more expensive.
El libro, cuya tapa tiene una foto del autor, es más caro.

4) Los pronombres compuestos **whoever** (quien sea), **whomever** (a/con quien sea) y **whichever** (el/la/lo que sea, cualquier/a) son considerados también pronombres relativos. Ejemplos:

Whoever broke the window will have to pay for it.
Quien sea que haya quebrado el vidrio, tendrá que pagarlo.
You may invite whomever you want to the party.
Puedes invitar a quien desees a tu fiesta.
You can come at whichever time of the day you prefer.
Puedes venir a cualquiera hora del día que prefieras.

5) **That** puede referirse a personas, animales o cosas.

The man that called was Mr. Smith.
El hombre que llamó era el Sr. Smith.
The book that arrived was not the one I had ordered.
El libro que llegó no era el que yo había pedido.

6) Cuando los pronombres relativos **who**, **whom**, **which**, **that** funcionan como objeto directo del verbo, pueden eliminarse de la oración sin que la misma pierda su significado. En estos casos, el significado del pronombre relativo se sobreentiende pero no se expresa. Ejemplos:

The book which you ordered has arrived.   *El libro que pediste ha llegado.*
The book you ordered has arrived.

G. Pronombres interrogativos

Los pronombres interrogativos son **who** o **whom** (quién, a quién), **whose** (de quién), **which** (cuál) y **what** (qué), y como su nombre lo indica se usan para hacer preguntas. Ejemplos:

Whom (who) did you see?   *¿A quién viste?*
Whom are you going to the party with?   *¿Con quién vas a la fiesta?*
What did she say?   *¿Qué dijo ella?*
Which one is your favorite color?   *¿Cuál es tu color favorito?*

Cuando uno de los pronombres interrogativos se usa como objeto de una preposición, debe evitarse empezar la pregunta con la preposición. Generalmente, la pregunta comienza con la palabra interrogativa y termina con la preposición. Es más aceptable decir **what are you talking about?** que **about what are you talking?** (¿de qué estás hablando?). Ejemplos:

What is she crying about?	¿Por qué llora ella?
Whom are you referring to?	¿A quién te refieres?

H. Pronombres indefinidos

Los pronombres indefinidos no se refieren a ninguna persona o cosa en particular, más bien hacen referencia a un grupo de personas o cosas. Estos pronombres son:

anyone *(alguien, cualquiera persona o nadie)*
someone, somebody *(alguien)*
everybody *(todos, todas las personas)*
something *(algo, alguna cosa)*
everything *(todo, todas las cosas)*
no one, nobody *(nadie, ninguno)*
nothing *(nada)*

Para oraciones afirmativas, usamos: **anyone, someone, somebody, everything, something**.
Para oraciones negativas usamos: **anyone, no one, nobody** y **nothing**. Ejemplos:

Somebody has to do it.	*Alguien tiene que hacerlo.*
I saw everything.	*Vi todo.*
I didn't see anyone I know	*No vi a nadie que conociera.*
Nobody came to my party!	*¡Nadie vino a mi fiesta!*
No one will be able to enter here.	*Nadie podrá entrar aquí.*
Has anyone seen this movie?	*¿Alguien ha visto esta película?*

El ARTICULO 3

Definición: El artículo es una palabra que precede al nombre para determinar si éste es un nombre genérico no especificado (indefinido) o si por el contrario, el nombre al que acompaña es específico y conocido por el que habla y por el que escucha.

A. Artículo definido

El artículo definido *the* equivale a los artículos del español: el, los, la, las, lo, y se usa delante de los nombres o sustantivos definidos. Un nombre es definido cuando el que habla y el que escucha están pensando en una misma cosa específica. A diferencia del español, tiene la misma forma en singular o plural, masculino o femenino. Ejemplos:

the book	*el libro*	the man	*el hombre*
the books	*los libros*	the woman	*la mujer*

B. Artículos indefinidos

Los artículos indefinidos *a* y *an* corresponden a: un, una, unos, unas en español. Estos artículos equivalen a la palabra *one* y sirven para contar o designar en forma genérica a un solo objeto o persona no especificada.

Se usa *a* delante de aquellas palabras que empiezan con sonido de consonante, mientras que *an* se emplea delante de aquellas palabras que empiezan con sonido de vocal, incluyendo las palabras que empiezan con *h*, cuando esta letra no se pronuncia. Ejemplos:

a book, a tree, a teacher	*un libro, un árbol, un maestro*
a house, a hawk	*una casa, un halcón*
an apple, an automobile	*una manzana, un automóvil*
an honorable man	*un hombre honorable*
an honest person	*una persona honesta*

También se usa el artículo *a* delante de palabras que se escriben con una vocal al principio, pero su sonido inicial es el de una consonante. Ejemplos:

a used car, a university	*un automóvil usado, una universidad*
a one-eyed man	*un hombre de un solo ojo*

C. Otras reglas sobre el uso del artículo

1) No se usa el artículo definido *the* delante de nombres contables en plural, cuando nos referimos a ellos de manera general, pero sí lo lleva cuando le agregamos una cualidad definida. Ejemplos:

Apples are good for your health.
Las manzanas son muy buenas para su salud.
The apples I bought yesterday were bad.
Las manzanas que compré ayer estaban malas.
Water is an essential element to maintain life.
El agua es un elemento esencial para sostener la vida.
The water of the lake is contaminated.
El agua del lago está contaminada.

2) No se usa ningún artículo delante de nombres propios tales como nombres de ciudades, calles, países o personas. Ejemplos:

John lives in New York City.   *Juan vive en la Ciudad de Nueva York.*

Sin embargo, llevan el artículo definido *the* los nombres de ríos, mares, cordilleras y países, cuando tales términos geográficos se componen de un sustantivo y un adjetivo. Ejemplos:

the Orinoco River   *el río Orinoco*
the Atlantic Ocean   *el océano Atlántico*
the United States of America   *los Estados Unidos de América*
the Dominican Republic   *la República Dominicana*

EL ADJETIVO 4

Definición: Los adjetivos son palabras que modifican a nombres o sustantivos. A diferencia del español, el adjetivo en inglés es invariable, pues tiene la misma forma en singular y en plural, así como para el género masculino o femenino. Además, siempre precede al nombre que modifica. Ejemplos:

a good book	*un buen libro*
a good man	*un buen hombre*
two good books	*dos libros buenos*
a good woman	*una buena mujer*

A. Comparativos y superlativos

Las formas comparativas y superlativas de los adjetivos se usan para comparar personas o cosas, y para expresar diferencias. Hay tres maneras diferentes de formar el comparativo y el superlativo de los adjetivos en inglés:

1) Usando los sufijos *–er* y *–est* (long, longer, longest).
2) Usando *more* y *most* (interesting, more interesting, most interesting).
3) Cambiando la raíz del adjetivo (good, better, best).

B. Formación del comparativo y el superlativo

1) Todos los adjetivos de una sola sílaba forman el comparativo con la terminación *–er*. y el superlativo, con la terminación *–er* y anteponiendo el artículo *the*. Ejemplos:

sweet, sweeter, the sweetest	*dulce, más dulce, el más dulce*
long, longer, the longest	*largo, más largo, el más largo*

2) Algunos adjetivos de dos sílabas de uso frecuente también forman el comparativo con la terminación *–er*, y el superlativo con la terminación *–est*. Los adjetivos que terminan en *–le, –y, –er* y *–ow* también pertenecen a este grupo. Ejemplos:

noble, nobler, noblest	*noble, más noble, el más noble*
easy, easier, easiest	*fácil, más fácil, el más fácil*
happy, happier, happiest	*feliz, más feliz, el más feliz*

25

clever, cleverer, cleverest   *astuto, más astuto, el más astuto*
narrow- narrower – narrowest   *angosto, más angosto, el más angosto*

3) Los demás adjetivos de dos sílabas forman el comparativo anteponiendo la palabra *more*, y el superlativo anteponiendo *the most*. Ejemplos:

humid (húmedo)	more humid	the most humid
tender (tierno)	more tender	the most tender
constant (constante)	more constant	the most constant

4) Los adjetivos de tres sílabas o más forman el comparativo anteponiendo la palabra *more*, y el superlativo anteponiendo las palabras *the most*. Ejemplos:

dangerous	more dangerous	the most dangerous
beautiful	more beautiful	the most beautiful
interesting	more interesting	the most interesting
ambitious	more ambitious	the most ambitious
exaggerated	more exaggerated	the most exaggerated

5) Las siguientes formas comparativas son irregulares:

good, better, the best	*bueno, mejor, el mejor,*
bad, worse, the worst	*malo, peor, el peor*
much, more, the most	*mucho, más, el más*
many, more, the most	*muchos, más, el más*
little, less, the least	*poco, menos, el menos*
old, older, the oldest	*viejo, más viejo, el más viejo*
far, farther, the farthest	*lejos, más lejos, el (lo) más lejos*

C. Comparativo de inferioridad

Al hacer una comparación de inferioridad, anteponemos la palabra *less* (menos), y para formar el superlativo de inferioridad, anteponemos la palabras *the least* (el menos, lo menos). Ejemplos:

     busy, less busy, the least busy
     ocupado, menos ocupado, el menos ocupado
     smart, less smart, the least smart
     inteligente, menos inteligente, el menos inteligente

Al usar los adjetivos en grado comparativo en una oración, siempre van seguidos de la conjunción relativa *than* (que). Ejemplos:

26

| He is taller than his brother. | *Él es más alto que su hermano.* |
| She is less smart than her sister. | *Ella es menos inteligente que su hermana.* |

D. Comparativo de igualdad

Cuando comparamos dos cosas o personas, usamos las palabras *as* delante y después del adjetivo *(as pretty as)*. Ejemplos:

| John is as tall as his brother. | *Juan es tan alto como su hermano.* |
| She is just as pretty as her sister. | *Ella es tan linda como su hermana.* |

E. Good - well

El estudiante del idioma inglés a menudo confunde el uso correcto de *good* y *well*. Al ser *good* (buen, bueno) un adjetivo, siempre va a modificar a un nombre. Ejemplos:

| John is a good student. | *Juan es un buen estudiante.* |
| She is a good girl. | *Ella es una buena muchacha.* |

Well (bien) es la forma adverbial del adjetivo *good*, y como tal se usa para modificar a un verbo o a un adjetivo. Ejemplos:

| She sings well. | *Ella canta bien.* |
| He is well prepared for his test. | *Él está bien preparado para su examen.* |

A menudo, y en conversaciones informales, estas dos palabras se usan indistintamente como adjetivo o adverbio. Ejemplos:

Well usado como adjetivo:

| How is John? He is well, thank you. | *¿Cómo está Juan? Él está bien, gracias.* |

Good usado como adverbio:

| How are you? I'm good, thank you. | *¿Cómo está? Estoy bien, gracias.* |

F. Expresiones de cantidad

1) *Much* y *less* (mucho, menos) se usan con nombres genéricos no contables. Ejemplos:

| much sugar, less sugar | *mucha azúcar, menos azúcar* |
| much coffee, less coffee | *mucho café, menos café* |

2) **Many** y **few** (muchos, pocos) se usan con nombres contables en plural. Ejemplos:

| many books, few books | *muchos libros, menos libros* |
| many trees, less trees | *muchos árboles, menos árboles* |

3) **Much** y **many** se usan a menudo precedidas por la palabra **how**: **how much, how many** (cuánto, cuántos) para indicar cantidad desconocida o indeterminada. Ejemplos:

| Nobody knows how much money he has. | *Nadie sabe cuánto dinero tiene él.* |
| How many students are there in your class? | *¿Cuántos estudiantes hay en su clase?* |

4) **Too much, a lot of**

Too much (demasiado) y **a lot of** (mucho) se pueden usar con nombres contables o no contables. **A lot of** (mucho) se puede usar en vez de **much** y con nombres en singular y plural.

Too much salt	*Demasiada sal*
Too much bread	*Demasiado pan*
I need a lot of help.	*Necesito mucha ayuda.*
I want a lot of toys.	*Quiero muchos juguetes.*

5) **A little** (poco o poquito) se usa con nombres no contables:

I want a little sugar with my tea.
Quiero un poquito de azúcar en mi té.

6) **No, some, any**

No (nada, ningún/a) se usa en oraciones negativas y con nombres contables o no contables:

| She has no family here. | *Ella no tiene familia aquí.* |
| There are no students today. | *No hay ningún estudiante hoy.* |

Some (algo, alguno/a/s) y **any** (ninguno/a, nada) se usan para indicar una cantidad indeterminada con nombres contables o no contables, en singular o plural. **Some** se usa solamente en oraciones afirmativas, mientras que **any** se usa generalmente en oraciones negativas. Ambas expresiones se pueden usar en preguntas:

We need some milk.
Do you want some apples?
I don't have any money.
Do you have any books?

Necesitamos algo de leche.
¿Quieres algunas manzanas?
No tengo nada de dinero.
¿Tienes algún libro?

También usamos *any* en oraciones afirmativas y significa cualquier/a:

Please ask if you need any information.

Por favor pregunte si necesita cualquier información.

Please leave any valuables on this table.

Por favor deje cualquier objeto de valor en esta mesa.

G. Adjetivos posesivos

Los adjetivos posesivos *(my, your, his, her, its, our, your, their)* van siempre seguidos por un nombre o sustantivo ya sea en singular o plural, de allí que se consideran adjetivos. No debemos confundir estos adjetivos con los pronombres posesivos *(mine, yours, his, hers, etc.)* Ver pronombres posesivos, página 18. Ejemplos:

Her daughter lives here.
Su hija vive aquí.
Her daughters go to school in the morning.
Sus hijas van a la escuela en la mañana.
My English class is fun.
Mi clase de inglés es divertida.
My classes at the university are interesting.
Mis clases en la Universidad son interesantes.

El siguiente cuadro muestra los pronombres personales con sus adjetivos posesivos correspondientes:

Personal Pronoun (pronombre personal)	*Possesive Adjective* (adjetivo posesivo)
I (yo)	my (mi)
you (tú)	your (tu)
he (él)	his (su)
she (ella)	her (su)
it (esto/aquello)	its (su)
you (ustedes, vosotros/as)	your (sus, vuestros/as)
we (nosotros/as)	our (nuestro/a/s)
they (ellos/as)	their (sus)

Nota: No debemos confundir el adjetivo posesivo *its* (su), que se usa cuando el "que posee" es un animal o cosa, con la contracción verbal *it's* que corresponde a *it is* (es/está), o *it has* (ha) cuando se usa en el tiempo presente perfecto *it's been* (ha sido). Ejemplos:

The dog likes to chase *its* tail.	*Al perro le gusta perseguir su cola.*
Where is the dog? *It's* sleeping.	*¿Donde está el perro? Está durmiendo.*
It's been very nice talking to you.	*Ha sido muy agradable conversar con usted.*
It's been a pleasure!	*¡Ha sido un placer!*

EL ADVERBIO 5

Definición: Los adverbios son palabras que acompañan y modifican a un verbo, a otro adverbio o a un adjetivo. Ejemplos:

He <u>walks slowly</u>.   *Él camina lentamente.*
He walks <u>very slowly</u>.   *Él camina muy lentamente.*
She bought a <u>very big</u> table.   *Ella compró una mesa muy grande.*

A. Formación de los adverbios

1) En inglés, la mayoría de los adverbios se forman agregando la terminación *–ly* a un adjetivo, lo que equivale a la terminación "mente" en español. Ejemplos:

slow, slowly   *lento (a), lentamente*
clear, clearly   *claro (a), claramente*

2) Algunos adverbios tienen formas especiales, como *well*, que es la forma adverbial del adjetivo *good*.

adjetivo: He is a good student.   *Él es un buen estudiante.*
adverbio: He speaks English well.   *Él habla inglés bien.*

3) Los adverbios *fast, hard, late, early* pueden usarse como adjetivos y como adverbios indistintamente. Ejemplos:

Adjetivo: He is a <u>fast</u> worker.   *Él es un trabajador rápido.*
Adverbio: He works <u>fast</u>.   *Él trabaja rápido.*

4) El adverbio *until* sirve para indicar duración de una acción o condición, y se puede usar tanto en el tiempo presente como pasado o futuro. Ejemplos:

She studies every day until late.   *Ella estudia todos los días hasta tarde.*

John will be waiting until she arrives.   *John estará esperando hasta que ella llegue.*

The fire lasted until the next day.   *El incendio duró hasta el otro día.*

31

1) Los grados comparativos y superlativos de los adverbios se forman igual que los adjetivos, añadiéndo *–er* para la forma comparativa, y *–est* para la superlativa. De la misma manera se antepone la palabra *more* para el comparativo y *most* para el superlativo a los adverbios que terminan en *-ly*. Ejemplos:

soon, sooner, soonest	*pronto, más pronto, lo más pronto*
late, later, latest	*tarde, más tarde, lo más tarde*
quickly, more quickly, most quickly	*rápido, más rápido, lo más rápido*

2) Al igual que con el adjetivo comparativo, el adverbio en grado comparativo va seguido de la palabra *than*. Ejemplos:

She arrived earli<u>er</u> than Tim.	*Ella llegó más temprano que Tim.*
He walks <u>more</u> rapidly than Kate.	*Él camina más rápido que Kate.*

1) El comparativo y superlativo de inferioridad de los adverbios se forma con *less* y *least*, al igual que los adjetivos:

often, less often, the least often
frecuente, menos frecuente, lo menos frecuente

I go to the movies <u>less often than</u> my friends.
Voy al cine con menos frecuencia que mis amigos.

Compared to my friends, I go to the movies <u>the least often</u>.
En comparación con mis amigos, yo voy al cine lo menos frecuente.

2) El comparativo de igualdad de los adverbios también se forma como el de los adjetivos; es decir, colocando la palabra *as* antes y después del adverbio.

He came *as* quickly *as* he could.   *Él vino tan pronto como pudo.*

La estructura de la oración en inglés es mucho más rígida que en español. Cada palabra tiene su posición especial dentro de la oración, en el siguiente orden: sujeto, verbo, complementos (directos o indirectos) y los adverbios que los modifican. Por consiguiente, la mayoría de los adverbios de tiempo como *yesterday* (ayer), *last night* (anoche), etc. van generalmente al final de la oración o al principio, pero nunca en el medio de la oración. Si esto último sucede, la oración pierde su ritmo natural. Por ejemplo, sería incorrecto decir: *I saw yesterday my friend.* o *I read last night that book.* Lo correcto es:

Yesterday, I saw my best friend.	*Ayer vi a mi mejor amigo.*
I read that book last night.	*Leí ese libro anoche.*

Aunque los adverbios definidos de tiempo como **yesterday**, **last night**, etc. pueden ir al final o al principio de la oración, los adverbios indefinidos de tiempo, como **always, generally, never**, etc. van siempre delante del verbo principal.

He always travels with me.	*El siempre viaja conmigo.*
She never arrives late.	*Ella nunca llega tarde.*

Sin embargo, cuando usamos el verbo **(to)be** (ser/estar), como verbo principal en presente o en pasado, los adverbios indefinidos de tiempo se colocan después del verbo.

He is usually at home at this time.	*Él está usualmente en casa a esta hora.*
We were always on time to go to school.	*Siempre fuimos puntuales para ir a la escuela.*

Si se usa un verbo auxiliar en la oración, los adverbios indefinidos de tiempo van entre el verbo auxiliar y el principal.

She has always studied with me.	*Ella siempre ha estudiado conmigo.*
She doesn't usually arrive on time.	*Ella usualmente no llega a tiempo.*

E. Well

(Véase el punto E, bajo "adjetivos", página 27, para la explicación del uso correcto del adverbio **well** y el adjetivo **good**).

F. Forma admirativa

1) Cuando la palabra principal de una oración admirativa es un nombre, se empieza la oración con **what**.

What a beautiful day!	*¡Qué día más bonito!*
What lovely eyes she has!	*¡Qué ojos más hermosos tiene ella!*

2) Sin embargo, cuando se desea dar énfasis a un adjetivo o adverbio en una oración admirativa, se empieza con **how**.

How well she swims!	*¡Qué bien nada ella!*
How tall he is!	*¡Qué alto es él!*
How quickly he has grown!	*¡Qué rápido ha crecido él!*

G. Very - too

Existe también una confusión con el uso correcto de **very** y **too**. Estos adverbios siempre modifican a un adjetivo o a otro adverbio y van delante de ellos para enfatizar su significado.

1) **Very** puede significar "muy o mucho/a". Ejemplos:

He is very tall.	*Él es muy alto.*
She sings very well.	*Ella canta muy bien.*
Is it very hot today? Yes, it is.	*¿Hace mucho calor hoy? Sí, mucho.*
It's very hot today.	*Hace mucho calor hoy.*

2) **Too*** significa "demasiado" como en **too fast** (demasiado rápido) y al igual que en español, se puede usar para expresar algo un poco negativo. Ejemplo:

I can't understand her because she talks too fast.
No le puedo entender porque ella habla muy rápido.

Cuando el adverbio **too** modifica a un adjetivo o adverbio, puede ir seguido de un verbo en su forma infinitiva. Ejemplos:

too hot to drink	*demasiado caliente para tomar*
too soon to leave	*demasiado pronto para irse*
too fast to catch	*demasiado rápido para agarrar*

Nota: El adverbio **too** puede además tener el mismo significado que la palabra **also** (también o además). Ver letra I, página 35.

H. No – not

El estudiante muchas veces se confunde al usar **no** y **not**.

No puede significar "ningún/a" cuando funciona como adjetivo y va delante de un sustantivo. Ejemplos:

There were n̲o̲ chairs in the room.
No había ninguna silla en el cuarto.
No students attended the meeting.
Ningún estudiante asistió a la reunión.

Not es un adverbio de negación y se usa para formar los negativos de todas las formas verbales. Ejemplos:

He does n̲o̲t̲ speak English well.	*Él no habla bien inglés.*
You must n̲o̲t̲ smoke here.	*No debes fumar aquí.*

También se usa **not** para formar oraciones negativas delante de artículos, adjetivos, adverbios, especialmente delante de **much** y **many**. Ejemplos:

not a good player	*no un buen jugador*
not one student	*ni un estudiante*
not much time	*no mucho tiempo*
not many people	*no muchas personas*

I. Also - too

Las palabras **also** y **too** tienen el mismo significado que "también o además" y se pueden usar indistintamente. Sin embargo, **also** se coloca delante del verbo, mientras que **too** va generalmente al final de la oración. Ejemplos:

He speaks Spanish, too.

Él también habla español.

Besides French, he also speaks English.

Además de francés, él también habla inglés.

J. Either – neither

Either y **neither** son las formas negativa de **also** y **too**, y significan "tampoco," empleándose solamente en oraciones negativas. Ejemplos:

I don't know anything about it, either.
Tampoco sé nada de eso.
We won't go to the party and neither will they.
No iremos a la fiesta ni ellos tampoco.

Estas dos conjunciones tienen una relación comparativa con otro de conjunciones **or** y **nor**. **Either-or** se usa como equivalente a: o (esto) o (lo otro), y se usa en oraciones afirmativas. Mientras que **neither-nor** equivale a : ni (esto) ni (lo otro), y se usa en oraciones negativas. Ver la sección de negativos especiales en la página 49, para más explicación y ejemplos.

K. Here, nearby, there, over there

Estos adverbios de lugar responden a la pregunta **where?** (¿donde?). Ejemplos:

Where is the English book?
It's here, on the desk.

¿Dónde está el libro de inglés?
Está aquí en el escritorio.

Where is the post office?
It's nearby, on the next corner.

¿Dónde queda el correo?
Está cerca, en la siguiente esquina.

VERBOS 6

Definición: Son palabras que indican acción. En las dos lenguas, inglés y español, los verbos son usados en diferentes contextos, llamados modos. Así tenemos el Modo Indicativo, el Imperativo y el Subjuntivo. La conjugación de los verbos se refiere a los diferentes tiempos en lo cuales usamos los verbos, ya sea presente, futuro y pasado o pretérito, con todas sus formas compuestas.

I. Modo Indicativo

A. El tiempo presente

1) Los verbos en inglés forman el presente quitándole la palabra *to* a su forma infinitiva *(work, sing)*. Esta forma se usa para todos los pronombres personales, singular y plural, excepto la tercera del singular *(he, she, it)*, en la que se añade *–s*.

I work	*Yo trabajo*
You work	*Usted trabaja (tú trabajas)*
He/she/it <u>works</u>	*Él, ella trabaja*
We work	*Nosotros trabajamos*
You work	*Ustedes trabajan*
They work	*Ellos, ellas trabajan*

2) Se usa la forma simple del presente para denotar una acción que ocurre en forma usual o regularmente en el tiempo presente. Ejemplos:

He goes to church every Sunday.
Él va a la iglesia todos los domingos.

We generally go to sleep at 10:00 p.m.
Generalmente nos vamos a dormir a las diez de la noche.

3) Se emplea el presente simple para indicar cualidades, costumbres o acciones habituales, o para expresar o describir hechos y acontecimientos reales. Ejemplos:

John is a good student.
Juan es un buen estudiante.
We study Spanish.
Estudiamos español.

The sun rises in the east and sets in the west.
El sol sale por el este y se pone en el oeste.
Nótese que en inglés los pronombres personales siempre se expresan debido a la falta de terminaciones especiales que indiquen la persona y el número del verbo. Por lo tanto, mientras que en español basta decir "trabajamos", en inglés se debe decir *we work.*

B. El pasado

1) Se forma el pasado simple de la mayoría de los verbos en inglés añadiéndole *-ed* al infinitivo de los verbos regulares. Esta forma es idéntica para todas las personas, singular y plural.

I worked	*Yo trabajé*
You worked	*Usted trabajó*
He, she, it worked	*Él, ella trabajó*
We worked	*Nosotros(as) trabajamos*
You worked	*Ustedes trabajaron*
They worked	*Ellos, ellas trabajaron*

2) Las siguientes excepciones se aplican para formar el tiempo pasado de los verbos regulares:

Si el verbo termina en *e*, se le añade solamente *-d* (*race/raced, like/liked, face/faced*)
Si el verbo termina en *-y* precedida por una consonante, la *-y* se transforma en *-i*, y se le añade *-ed* (*study/ studied, marry/married, fry/fried*).

La formación de los verbos irregulares es especial y éstos no siguen ninguna regla gramatical, por lo tanto deben ser memorizados. Ejemplos: *break/broke; come/came; say/said; go/went.* Ver página 102 del apéndice, donde encontrará una lista completa de estos verbos con sus correspondientes formas del pasado y participio.

3) El pasado simple se usa para describir una acción que ocurrió en un momento determinado o para indicar una acción habitual del pasado (pasado imperfecto en español: hablaba, comía, etc.) Ejemplos:

The President spoke yesterday.
El Presidente habló ayer.
We went to the market last night.
Fuimos al mercado anoche.
When I was a student I always did my homework.
Cuando era estudiante siempre hacía mis tareas.
During my trip, I usually went to bed early.
Durante mi viaje, usualmente me acostaba temprano.

4) Uso de las palabras *until* y *from* para hablar de acciones en el pasado.
Se usan estas dos palabras para expresar una acción que ocurrió en el pasado y hasta un determinado momento. Ejemplos:

I studied from morning until night for my exam.
Estudié desde la mañana hasta la noche para mi examen.
He works from 8:00 AM until 6:00 PM everyday.
El trabaja desde las 8:00 de la mañana hasta las 6:00 de la tarde todos los días.

5) Uso de la palabra *ago* en el pasado simple. La palabra *ago* siempre se usa con el pasado simple y se emplea cuando se especifica el período de tiempo transcurrido desde que ocurrió la acción del verbo. Ejemplos:

He came to Mexico a year ago.   *Él vino a México hace un año.*
I saw him a long time ago.   *Lo vi hace mucho tiempo.*

C. El futuro

El tiempo futuro se forma con los verbos auxiliares *will*, más el infinitivo del verbo principal. En general, los verbos auxiliares (helping verbs=verbos que ayudan), sirven para cambiar el tiempo y modo de la acción.

I will go	*Yo iré*
You will go	*Usted irá*
He, she, it will go	*Él, ella irá*
We will go	*Nosotros (as) iremos*
You will go	*Ustedes irán*
They will go	*Ellos, ellas irán*

Usos del tiempo futuro

1. Ante todo, debe aclararse que el uso de la forma verbal *going to* es mucho más generalizado que *will* para indicar acción futura o para expresar intención de realizarla en el futuro. Esto se verá ampliamente más adelante. Ejemplos:

He is going to study French.   *Él va a estudiar francés.*
We are going to visit him tomorrow.   *Vamos a visitarlo mañana.*

2. El tiempo futuro, empleando el auxiliar will más el infinitivo del verbo, se usa para expresar 1) promesa, 2) determinación, 3) énfasis, 4) situación condicional. Ejemplos:

promesa:
We will meet at three.

Nos veremos a las tres.

determinación:
I will do as you say.

Haré lo que usted dice.

énfasis:
He will never learn French.

Él nunca aprenderá francés.

condicional:
I will buy it if I like it.

Lo compraré si me gusta.

D. El presente perfecto

El presente perfecto (present perfect) está compuesto del verbo *to have* (haber) como verbo auxiliar, más el participio pasado del verbo principal conjugado *(seen, gone, etc.)*

Nota: El presente perfecto se conoce como pasado o pretérito perfecto en español. Para efectos de mejor comprensión, nos referiremos al "presente perfecto", que es la traducción literal de su nombre en inglés: *present perfect*.

I have seen	*Yo he visto*
You have seen	*Usted ha visto*
He, she, has seen	*Él, ella ha visto*
We have seen	*Nosotros(as) hemos visto*
You have seen	*Ustedes han visto*
They have seen	*Ellos, ellas han visto*

El participio pasado de los verbos regulares es el mismo pasado simple, es decir añadiendo la terminación *–ed*. Esta forma se asemeja al español con las terminaciones verbales –ado, –ido. Ejemplos: *walked, talked, worked*, etc. (caminado, conversado, trabajado, etc).
En español, también hay muchos participios pasados irregulares, tales como abrir/abierto, decir/dicho, hacer/hecho, morir/muerto, romper/roto, ver/visto, etc. En inglés, son mucho más numerosos y deben ser memorizados. En la página 102, usted encontrará una lista completa de estos verbos. Los siguientes son de uso más frecuente:

be/been (ser/estar-sido/estado)
begin/begun (empezar/empezado)
blow/blown (soplar/soplado)
buy/bought (comprar/comprado)
choose/chosen (escoger/escogido)
cut/cut (cortar/cortado)
do/done (hacer/hecho)
drink/drunk (beber/bebido)
eat/eaten (comer/comido)

give/given (dar/dado)
go/gone (ir/ido)
hit/hit (golpear/golpeado)
hurt/hurt (lastimar/lastimado)
sleep/slept (dormir/dormido)
speak/spoken (hablar/hablado)
take/taken (tomar/tomado)
teach/taught (enseñar/enseñado)
think/thought (pensar/pensado)

fall/fallen (caer/caído)
find/found (encontrar/encontrado)
get/got/gotten (conseguir/conseguido)

throw/thrown (tirar/echar tirado/echado)
win/won (ganar/ganado)
write/written (escribir/escrito)

Usos del presente perfecto (present perfect)

1) El presente perfecto se emplea para indicar una acción ocurrida en el pasado, sin especificar cuándo tal acción se llevó a cabo. O sea que en relación al momento en que se habla, la acción del verbo simplemente ya ha ocurrido, sin indicar cuándo. Ejemplos:

I have seen that movie
We have been there.

He visto esa película.
Hemos estado allí.

Véase el contraste con oraciones similares en pasado simple.

I saw that movie yesterday.
We were there last year.

Vi esa película ayer.
Estuvimos allí el año pasado.

Nótese que cuando se emplea el pasado simple, simplemente nos referimos a una acción que ya sucedió y que no tiene relación con el presente, mientras que con el presente perfecto *(have seen, have been)* nos referimos a una acción pasada relacionada con el presente. Podemos decir que es "el pasado del presente".

2) El presente perfecto también se usa para indicar una acción que comenzó en el pasado y continúa hasta el presente. Ejemplos:

Mary has worked here since 1995.
María ha trabajado aquí desde 1995.
We have lived in this house for 10 years.
Hemos vivido en esta casa por 10 años.

En ambos casos la acción comenzó en el pasado y continúa hasta el presente. En la primera oración, la acción viene ocurriendo desde 1995 y en la segunda, desde hace 10 años. Sin embargo, si usamos en estas mismas oraciones el pasado simple en vez del perfecto, su significado va a indicar forzosamente que la acción ocurrió y terminó en el pasado. Ejemplos:

Mary worked here in 1995.
Mary trabajó aquí en el año 1995.
We lived in this house 10 years ago.
Hace 10 años atrás, nosotros vivimos en esta casa.

3) Es frecuente el uso del presente perfecto con los adverbio *yet* o *still* (todavía/aún) en oraciones negativas o interrogativas. Ejemplos:

Haven't you done your homework yet?
Todavía (aún) no has hecho tu tarea?
She has not given her authorization yet.
Todavía (aún) ella no ha dado su autorización.
Are you still here?
Todavía (aún) estás aquí?

E. El pasado perfecto (en español, pasado o pretérito pluscuamperfecto)

El pasado perfecto se forma con el tiempo pasado del verbo **have** (**had**) como verbo auxiliar, más el participio pasado del verbo principal conjugado.

I had seen	*Yo había visto*
You had seen	*Usted había visto*
He, she, had seen	*Él, ella había visto*
We had seen	*Nosotros (as) habíamos visto*
You had seen	*Ustedes habían visto*
They had seen	*Ellos habían visto*

Usos del pasado perfecto (past perfect)

Se usa el pasado perfecto para describir acciones ocurridas y terminadas, con relación a otras acciones pasadas, siendo estas últimas expresadas por el pasado simple. Podemos definir este tiempo perfecto como "pasado del pasado". Ejemplos:

We realized that we had taken the wrong road.
Nos dimos cuenta de que habíamos tomado el camino equivocado.
William came to see us, but we had gone out.
Guillermo vino a vernos, pero habíamos salido.

Nótese que en ambas oraciones, la acción del pasado perfecto **(had taken, had gone)** había ocurrido antes que la del pasado simple **(realized, came)**.

F. El futuro perfecto (future perfect)

El futuro perfecto se forma con el verbo auxiliar **have**, en forma futura **will have**, más el participio pasado del verbo principal conjugado.

I will have seen	*Yo habré visto*
You will have seen	*Usted habrá visto*
He, she will have seen	*Él, ella habrá visto*
We will have seen	*Nosotros/as habremos visto*
You will have seen	*Ustedes habrán visto*
They will have seen	*Ellos/as habrán visto*

Utilizamos el futuro perfecto para hablar de una acción futura anterior a otra acción futura. Podemos definir este tiempo perfecto como "el pasado del futuro". Estas acciones describen proyecciones del futuro en forma de presunción, suposición, cálculo, etc., en que se considera que cierta acción terminará en un momento determinado del futuro. Guarda la misma relación con el futuro simple, que el pasado perfecto con el pasado simple. Ejemplos:

They will have visited several countries by the time they come back home.
Ellos habrán visitado varios países antes de volver a casa.
We'll have finished the book before the end of the course.
Habremos terminado el libro antes de que termine el curso.

G. Formas continuas o progresivas

En inglés todos los tiempos básicos de los verbos tienen una forma presente simple y una forma continua o progresiva. Así, tenemos un presente simple y un presente continuo, un pasado simple y uno continuo, un futuro simple y uno continuo.

La formas continuas de los verbos se usan para describir una acción o condición que transcurre o que continúa, ya sea en el presente, pasado o futuro, y se construye con la forma verbal llamada participio presente (present participle), llamada también *–ing*. Así, las formas continuas se forman con el verbo *(to) be* (ser/estar) más la forma *–ing* del verbo conjugado. La terminación *–ing* del participio presente equivale a las terminaciones "ando" y "iendo" en español. Ejemplos:

Presente Continuo:
We are eating at this moment.
Estamos comiendo en este momento.

Pasado Continuo:
We were eating when our friends arrived.
Estábamos comiendo cuando llegaron nuestros amigos.

Futuro Continuo:
We will be eating by the time you come home.
Estaremos comiendo cuando llegues a la casa.

1. El presente continuo o progresivo

Como se explica anteriormente, el presente continuo se forma con el presente del verbo *(to) be* como auxiliar, más el participio presente del verbo principal.

I am working	*Yo estoy trabajando*
You are working	*Tú estás trabajando*
He, she is working	*Él, ella está trabajando*
We are working	*Nosotros estamos trabajando*
You are working	*Ustedes están trabajando*
They are working	*Ellos están trabajando*

El presente continuo se usa para indicar que la acción transcurre mientras se habla, y que por lo tanto no ha terminado aún. Difiere del presente simple en que con la forma continua usualmente nos referimos al momento en que hablamos, y no al tiempo presente en general. Ejemplos:

Mary works hard.
María trabaja duro.
Mary is working hard on her report.
María está trabajando duro en su informe.

It rains heavily in spring.
Llueve abundantemente en la primavera.
It is raining heavily now.
Está lloviendo abundantemente ahora.

El presente continuo también se emplea para indicar una acción inminente o próxima a ocurrir en el futuro. Ejemplos:

| Henry is leaving soon. | *Enrique se marcha pronto.* |
| We are having company this week. | *Vamos a tener visita esta semana.* |

2. El pasado continuo o progresivo

El pasado continuo se forma con el pasado simple del verbo **(to) be: was** o **were** como auxiliar, más el participio presente del verbo principal.

I was working	*Yo estaba trabajando*
You were working	*Tú estabas trabajando*
He, she was working	*Él, ella estaba trabajando*
We were working	*Nosotros(as) estábamos trabajando*
You were working	*Ustedes estaban trabajando*
They were working	*Ellos, ellas estaban trabajando*

El pasado continuo describe una acción que ocurría en cierto momento o época en el pasado. Usualmente el pasado continuo está complementado por un pasado simple. Ejemplos:

I was sleeping when you called.
Yo estaba durmiendo cuando usted llamó.

44

They were eating when she arrived.
Ellos estaban comiendo cuando ella llegó.

Nótese en ambos usos que la acción del pasado continuo comenzó antes que la del pasado simple *(called, arrived)* y, en efecto, se realizaba en ese momento.

3. El futuro continuo o progresivo

El futuro continuo se forma con el futuro simple del verbo *(to) be: will be*, más el participio del verbo principal.

I will be working	*Yo estaré trabajando*
You will be working	*Tú estarás trabajando*
He, she, it will be working	*Él, ella estará trabajando*
We will be working	*Nosotros(as) estaremos trabajando*
You will be working	*Ustedes estarán trabajando*
They will be working	*Ellos, ellas estarán trabajando*

El futuro continuo o progresivo se emplea para describir una acción que transcurrirá o estará realizándose en determinado momento en el futuro. Ejemplos:

By the time you get here, he will be sleeping. *Para cuando usted llegue, él estará durmiendo.*

When he comes, I will be waiting for him. *Cuando él venga estaré esperándolo.*

H. Las formas perfectas en su forma continua

Como indicamos en la sección dedicada a las formas perfectas, éstas se forman con el verbo *have* conjugado en diferentes tiempos futuro, más el participio pasado del verbo conjugado.

La formas progresivas o continuas de los tiempos perfectos, en presente y pasado, se forman simplemente agregando a la forma perfecta *(I have been, I had been,* etc.) el participio presente o forma *–ing: "I have been reading, I had been reading"* (he estado leyendo, había estado leyendo).

1. Presente Perfecto – Continuo:

I have been working	*Yo he estado trabajando*
You have been working	*Tú has estado trabajando*
He, she, it has been working	*Él, ella ha estado trabajando*
We have been working	*Nosotros(as) hemos estado trabajando*
You have been working	*Ustedes han estado trabajando*
They have been working	*Ellos, ellas han estado trabajando*

El presente perfecto continuo se usa para expresar una acción que comienza en el pasado y continúa hasta el presente. Esta definición coincide con la de la forma simple del presente perfecto, y en la mayoría de los casos, ambos tiempos se pueden usar indistintamente. Por ejemplo, podemos decir:

Presente Perfecto – Continuo:
   He has been living here for two years.
   Él ha estado viviendo aquí dos años.

Presente Perfecto:
   He has lived here for two years.
   Él ha vivido aquí dos años.

2. El pasado perfecto continuo:

I had been working.	*Yo había estado trabajando.*
You had been working.	*Tú habías estado trabajando.*
He, she, it had been working.	*Él, ella había estado trabajando.*
We had been working.	*Nosotros(as) habíamos estado trabajando.*
You had been working.	*Ustedes habían estado trabajando.*
They had been working.	*Ellos, ellas habían estado trabajando.*

El pasado perfecto continuo se emplea para expresar una acción continua, anterior a cierto punto determinado en el pasado. Difiere de la forma perfecta simple en que indica que la acción continuaba hasta el momento indicado por la acción del verbo principal de la oración, usualmente un pasado simple, expresado o implícito.

Before I took that medicine, I had been feeling very bad.
Antes de tomar esa medicina, me había estado sintiendo muy mal.
He finally arrived after she had been waiting for an hour.
Por fin llegó después de que ella había estado esperando por una hora.

I. La voz pasiva

La voz pasiva en inglés se forma con el tiempo correspondiente del verbo *(to) be*, más el participio pasado del verbo principal. En la voz pasiva, el sujeto de la oración recibe la acción del verbo, mientras que en la voz activa es el sujeto el que ejecuta la acción del verbo. Todos los tiempos pueden expresarse en voz pasiva. Ejemplos:

The food (is, was, will be, has/had been) eaten quickly.
La comida (es, fue/era, será, ha/había sido) consumida rápidamente.
The children (are, were, will be, have been, had been) vaccinated.
Los niños (son, fueron/eran, serán, han/habían sido) vacunados.

46

Los siguientes ejemplos le permitirán comparar la voz pasiva con la voz activa:

Voz activa:

He delivers the mail.   *Él trae la correspondencia.*
He delivered the mail.   *Él trajo la correspondencia.*
He will deliver the mail.   *Él traerá la correspondencia.*
He has delivered the mail.   *Él ha traído la correspondencia.*

Voz pasiva:

The mail is delivered daily.
La correspondencia es entregada diariamente.
The mail was delivered daily.
La correspondencia fue entregada diariamente.
The mail will be delivered daily.
La correspondencia será entregada diariamente.
The mail has been delivered daily.
La correspondencia ha sido entregada diariamente.

Usos de la voz pasiva

1) La voz pasiva se usa con mucha más frecuencia en inglés que en español. Se emplea en los casos siguientes:

Cuando se desconoce la persona o agente de la acción del verbo:

His car has been stolen.
Su automóvil ha sido robado.

Cuando no interesa o no importa mencionar el agente:

The mail is delivered daily.
La correspondencia es entregada todos los días.

Cuando por cualquier razón no se desea revelar la identidad del agente.

We have been told that he drinks.
Nos han contado que él bebe.

Cuando la persona o cosa que recibe la acción del verbo es de mayor importancia que el que la ejecuta:

The winner was congratulated by all his friends and relatives.

47

El ganador fue felicitado por todos sus amigos y parientes.

2) La voz pasiva de los tiempos continuos se forma con el tiempo continuo correspondiente del verbo *(to) be* como auxiliar, más el participio pasado del verbo principal. Ejemplos:

The letter is being written now.
La carta está siendo escrita ahora.
The work was being done while I was there.
Se estaba haciendo el trabajo mientras yo estaba allí.

3) La voz pasiva de aquellos tiempos que incluyen el uso de los verbos auxiliares *can*, *may*, *should*, *must*, *would*, etc., se forma agregando a estos verbos la forma verbal *be*, más el participio pasado del verbo principal. Ejemplos:

This should be done right away.
Esto debe hacerse enseguida.
The composition must be written in English.
La composición debe ser escrita en inglés.

4) La voz pasiva de los tiempos compuestos de verbos auxiliares tales como *must, may, should, would, etc.* *(must have, may have, should have, would have)* se forma con la forma verbal *been*, más el participio pasado del verbo principal. Ejemplos:

The picture must have been painted by a child.
El cuadro debe haber sido pintado por un niño.
The letter should have been written yesterday.
La carta debería haber sido escrita ayer.

J. Forma negativa de las conjugaciones verbales

1) En toda oración en la que se emplee un verbo auxiliar *(can, may, should, do, etc)*, la forma negativa se obtiene colocando *not* después del auxiliar. Ejemplos:

The dog cannot walk well.   *El perro no puede caminar bien.*
That should not have been done.   *Eso no debería haberse hecho.*

2) En oraciones desprovistas de auxiliar, como ocurre con los tiempos presente y pasado simples, se introducen los auxiliares especiales *do, does* y *did* para formar el negativo. Siguiendo la regla básica, se coloca *not* después del auxiliar: *do not, does not, did not*, delante del infinitivo del verbo principal:

Do se emplea en el presente para todas las personas del singular y del plural, excepto la tercera del singular.

Does se emplea para la tercera persona del singular.
Did se emplea para formar el pasado para todas las personas del singular y plural, sin excepción.

They know how to swim.	*Ellos saben nadar.*
They do not know how to swim.	*Ellos no saben nadar.*
He goes home early.	*Él se va a casa temprano.*
He does not go home early.	*Él no se no se va a casa temprano.*
He came to work late.	*Él vino tarde al trabajo.*
He did not come to work late.	*Él no vino tarde al trabajo.*

3) El verbo *(to) be*, cuando aparece como verbo principal en el presente o pasado simple, no requiere auxiliar alguno en la forma negativa y simplemente se coloca *not* después del verbo. Ejemplo:

I <u>am</u> the teacher.	*Soy la profesora.*
He <u>is not</u> ready yet.	*El no está listo todavía.*

Nota: Los verbos auxiliares se usan en inglés de forma análoga que español, como hemos visto, en la formación de las diferentes formas verbales y tiempos compuestos. Casi todos los verbos auxiliares en inglés tienen sus equivalentes en español; por ejemplo *can (poder)*, *must (deber)*, *should (debería)*, etc. Sin embargo, se usan con mucha más frecuencia que en español para formar diversos modos y tiempos, para formular preguntas, negaciones y también para formar frases idiomáticas.

K. Negativos especiales

1. Aunque ya hemos visto las formas más comunes de negación, también existen otras palabras que sirven para formar oraciones negativas tales como: *nobody* (nadie), *nothing* (nada), *nowhere* (ninguna parte), *neither* (ninguno/a) y *none* (nadie, ninguno/a). Al usar estas palabras, no necesitamos un verbo auxiliar como *(isn't, haven't, etc.)*, ni tampoco la palabra *not* para expresar el negativo. Ejemplos:

There is nobody home.	*No hay nadie en casa.*
We have nothing to eat.	*No tenemos nada que comer.*
It's nowhere you know.	*No es ninguna parte que conozcas.*
Neither of them wants to go.	*Ninguno de ellos quiere ir.*
None will be admitted here.	*No se admitirá a nadie aquí.*

Nota: En inglés el doble negativo en una misma oración es incorrecto y siempre debe evitarse. (Ver letra L, negativos dobles, página 50). Ejemplos:

Correcto: I saw nobody there.
Incorrecto: I <u>did not</u> see <u>nobody</u> there.

2. Also - too (también) - either (tampoco)

Cualquier oración en la que se empleen **also** o **too** (también) en afirmativo, cambia a su forma negativa al usar la palabra **either** (tampoco). Ejemplos:

John also plays tennis well.   *Juan también juega tenis bien.*
John does not play tennis well either.   *Juan tampoco juega tenis bien.*

3. Neither-nor/either-or (ni (esto) ni (lo otro)/o (esto) o (lo otro). Esta pareja de palabras "**neither, nor**" e "**either, or**" son de uso muy común en inglés.

Si se usa **neither**, su acompañante será **nor**, y se usa en oraciones negativas. Ejemplo:

That book is <u>neither</u> interesting <u>nor</u> well written.
Ese libro no es ni interesante ni está bien escrito.
<u>Neither</u> my sister <u>nor</u> my brother is here.
Ni mi hermana ni mi hermano está aquí.

Si se usa **either** su acompañante será **or** y se usa en oraciones afirmativas. Ejemplo:

I would like either coffee or tea.
Me gustaría café o té.
I'll take either math or chemistry next semester.
Tomaré matemáticas o química el próximo semestre.

L. Negativos dobles

Existe una regla en inglés que dice que se debe evitar usar un negativo doble en una misma oración. Ejemplo:

I <u>don't</u> have <u>no</u> money.   *No tengo nada de dinero.*

Esta oración incorrecta se puede corregir de dos maneras:

a) I don't have any money.
b) I have no money.

Incorrecto: I <u>didn't</u> see <u>nobody</u>.   *No vi a nadie.*
Correcto: I didn't see anybody.
             I saw nobody.

Incorrecto: I can't never understand her. *Nunca puedo entenderla.*
Correcto: I can never understand her.
            I can't understand her.

Nota: Se considera correcto, sin embargo, si el doble negativo ocurre en dos cláusulas (oraciones independientes) dentro de la misma oración. En los ejemplos siguientes, las dos cláusulas están separadas, primero por la palabra *why* y luego por un signo de puntuación(,):

I don't know *why* the teacher isn't here.
No sé por qué el profesor no está aquí.
If you don't have your ticket, you won't be able to enter the theater.
Si no tienes tu boleto, no vas a poder ingresar al teatro.

M. Forma interrogativa

Interrogaciones simples

1) Siempre que la forma verbal de la oración contenga un verbo auxiliar, la forma interrogativa de ella se construye colocando el auxiliar delante del sujeto. Ejemplos:

He can meet us at two o'clock.
Él se puede encontrar con nosotros a las dos.
Can he meet us at two o'clock?
¿Puede él encontrarse con nosotros a las dos?

I will see John tomorrow.
Yo veré a Juan mañana.
Will I see John tomorrow?
¿Veré a Juan mañana?

2) Cuando la oración lleva una forma verbal simple (sin verbo auxiliar), en presente o pasado, la forma interrogativa de ellas debe comenzar con un verbo auxiliar, ya sea *do, does* or *did.* Ejemplos:

I know him well.   *Lo conozco bien.*
Do you know him well?   *¿Lo conoce bien?*

Mary speaks English well.   *María habla bien inglés.*
Does Mary speak English well?   *¿Habla bien inglés María?*

Henry went to the movies.   *Henry fue al cine.*
Did Henry go to the movies?   *¿Fue Henry al cine?*

Nótese que cuando el verbo principal se ha conjugado en tercera persona singular (al cual se le ha agregado una *s*) o en tiempo pasado, éste cambia a su forma infinitiva en la pregunta.

51

3) En oraciones interrogativas con el verbo (*to) be* como verbo principal en el presente o pasado, no se necesita auxiliar alguno y sencillamente se coloca el verbo antes del sujeto. Ejemplos:

<u>Is</u> Mr. Smith busy now?   *¿Está ocupado ahora el Sr. Smith?*
<u>Were</u> you absent yesterday?   *¿Estuvieron ustedes ausentes*
                                       ayer?

4) Las palabras o frases con las cuales se construyen oraciones interrogativas *when, where, why, what, what time, how long*, etc., no afectan el uso ni la posición del verbo auxiliar delante del sujeto en la oración. Simplemente se colocan delante del auxiliar; es decir, al principio de la oración. Ejemplos:

<u>What</u> time did he arrive?   *¿A qué hora llegó?*
<u>Why</u> do you say that?   *¿Por qué dice Ud. eso?*
<u>How long</u> were you in Mexico?   *¿Cuánto tiempo estuvo en México?*

Interrogaciones negativas

1) Las interrogaciones negativas se forman siguiendo las mismas reglas que con las afirmativas; es decir, se coloca el verbo auxiliar delante del sujeto. La palabra *not* se mantiene en su posición normal, delante del verbo principal. Ejemplos:

<u>Did</u> John <u>not</u> <u>see</u> him?   *¿No lo vio Juan?*
Why <u>did</u> John <u>not</u> <u>see</u> him?   *¿Por qué Juan no lo vio?*

2) En las interrogaciones negativas, es de uso corriente y aceptado la contracción del auxiliar con la palabra *not* (ejemplo: *does not=doesn't*). Por lo tanto, la contracción correspondiente va delante del sujeto. Ejemplos:

Didn't you see him?   *¿No lo vio usted?*
Shouldn't they do it?   *¿No deberían ellos hacerlo?*
Won't he accept your offer?   *¿No aceptará él su oferta?*

Interrogaciones especiales

1) Cuando se emplean las palabras interrogativas *who, what o which* como sujetos de la oración o modificantes del sujeto, no se requiere verbo auxiliar en la forma interrogativa. Ejemplos:

Who took my pen?   *¿Quién cogió mi pluma?*
What happened to Helen?   *¿Qué le pasó a Elena?*
Which bus goes downtown?   *¿Qué autobús va al centro?*

2) Si las palabras interrogativas *who*, *which* o *what* son objetos directos o indirectos del verbo entonces se forma la oración interrogativa de forma normal, es decir, colocando el verbo auxiliar correspondiente delante del sujeto. Ejemplos:

1. What <u>did he</u> want?   *¿Qué quería él?*
2. Which bus <u>do you</u> take?   *¿Qué autobús toma usted?*
3. Who <u>did you</u> give the job to?   *¿A quién le dio el trabajo?*

"Tag" endings

La construcción "*tag ending*" se refiere a una cláusula subordinada o forma verbal independiente que se expresa como una pregunta abreviada que se agrega al final de una oración. Esta construcción se usa frecuentemente cuando se pide confirmación y se supone que la persona a quien se le hace la pregunta está de acuerdo con lo que se dijo anteriormente. La equivalencia en español a esta forma es: ¿verdad/no es verdad? o ¿cierto/no es cierto?, o simplemente ¿no? Ejemplos:

John can speak English very well, <u>can't he</u>?
Juan puede hablar inglés muy bien, ¿no es verdad?
The train leaves at noon, <u>doesn't it</u>?
El tren sale al mediodía, ¿no?

Formación de un "*tag ending*"

1. Esta cláusula subordinada hace referencia al mismo contenido de la oración que le precede. Se compone del auxiliar que se usaría normalmente en la forma interrogativa regular de la oración (*do, does, did, will, have, has, would, should, can, could, etc.*), más el pronombre personal que corresponda al sujeto.

2. Si la oración es positiva, el "tag ending" interrogativo debe ser negativo y generalmente en forma abreviada o corta. Y, viceversa, si la oración es negativa, el "*tag ending*" debe ser positivo. Ejemplos:

The teacher <u>arrived</u> on time, <u>didn't</u> he?
El maestro llegó a tiempo, ¿no es verdad?
You <u>don't</u> believe it, <u>do</u> you?
Usted no lo cree, ¿verdad?
She <u>isn't</u> as pretty as they say, <u>is</u> she?
Ella no es tan linda como dicen, verdad?

3) No se emplea auxiliar alguno en el "*tag ending*," cuando la oración lleva el verbo *to be* como verbo principal. Simplemente se repite el verbo. Ejemplos:

He is a good student, isn't he?
Él es un buen estudiante, ¿no es verdad?
He is not a bad teacher, is he?
Él no es un mal maestro, ¿verdad?

N. Uso de los verbos auxiliares

1. Contestaciones abreviadas

En inglés no se acostumbra a contestar a cualquier pregunta con un simple **yes** o **no**. Se considera más apropiado y cortés contestar con una respuesta abreviada afirmando o negando lo que se pregunta. Esta forma abreviada consiste en un pronombre representando al sujeto y el auxiliar correspondiente. Generalmente se emplean las contracciones, especialmente si la respuesta es negativa. Ejemplos:

Are you Mary?	Is David ready?	Were you here?
Yes, I am	Yes, he is	Yes, I was
No, I'm not	No, he isn't	No, I wasn't

Did you see John?	Has Helen left?	Did the boys call you?
Yes, I did.	Yes, she has.	Yes, they did.
No, I didn't.	No, she hasn't.	No, they didn't.

2. Verbos auxiliares con **so**, **too**, **either**, **neither**

a) Los verbos auxiliares también se usan con los adverbios **too** y **so** para evitar la repetición de ciertas palabras ya empleadas en la oración. Ejemplos:

He speaks English well and I do too.
Él habla inglés bien y yo también.
He speaks English well and so do I.
Él habla inglés bien y yo también.
They went there and we did too.
Ellos fueron allí y nosotros también.
They went there and so did we.
Ellos fueron allí y nosotros también.

b) En las oraciones negativas se usan **either** y **neither** (tampoco), de la misma forma en que **too** y **so** se aplican en oraciones positivas, para evitar la repetición de palabras o frases anteriores. Ejemplos:

He doesn't speak English well and she doesn't either.
He doesn't speak English well and neither does she.
Él no habla inglés bien ni ella tampoco.

They didn't go there and we didn't either.
They didn't go there and <u>neither did</u> we.
Ellos no fueron allí ni nosotros tampoco.

Nótese que **so** y **neither** cambian de posición, y se colocan delante del verbo auxiliar, quedando el sujeto al final de la oración, después del auxiliar.

3. Forma enfática

El verbo auxiliar **do**, y su forma para la tercera persona singular **does** y para el pasado, **did,** se usa normalmente para construir oraciones negativas e interrogativas. Ejemplos:

<u>Do</u> you work here in Los Angeles?
<u>Does</u> she work here in Los Angeles?
<u>Did</u> he work here in Los Angeles last year?

El verbo auxiliar **do** también se usa en oraciones positivas para dar mayor énfasis a ciertas afirmaciones. En tales casos, la entonación normal de la oración cambia, recalcándose el auxiliar. Ejemplos:

I <u>do</u> believe it is true. *Yo sí creo que es verdad.*
She <u>did</u> like the movie. *A ella sí le gustó la película.*

4. Contracciones en formas abreviadas

a) Como se ha visto ampliamente, en inglés se contraen casi todas las frases verbales negativas, especialmente en la conversación corriente. En tales casos el auxiliar se contrae con la palabra **not**. Ejemplos:

are not - **aren't**	do not - **don't**	cannot - **can't**
is not - **isn't**	does not - **doesn't**	could not - **couldn't**
was not - **wasn't**	did not - **didn't**	must not - **mustn't**
were not - **weren't**	will not - **won't**	should not - **shouldn't**
would not – **wouldn't**		

b) A veces se contrae el sujeto con el auxiliar o con el verbo **(to) be**, lo cual puede ocurrir en oraciones positivas o negativas. Ejemplos:

I am - I'm	I will - I'll	I have - I've
you are - you're	you will - you'll	you have - you've
he is not - he's not		

Can, may, should, ought, must, would, etc.

Can, could

Can es un verbo defectivo o incompleto, ya que sólo tiene dos tiempos, **can** en presente y **could** en el pasado. **Can** tampoco tiene infinitivo y siempre se emplea como auxiliar especial con otro verbo en infinitivo. **Can** puede expresar:

1) habilidad

She can swim well.	*Ella sabe nadar bien.*
I can do it later.	*Puedo hacerlo más tarde.*

2) posibilidad
usualmente con los pronombres **one** (uno) o **it** (ello) como sujeto:

One can get into trouble that way.	*Uno puede meterse en un aprieto de esa forma.*
It can happen to anyone.	*Puede sucederle a cualquiera.*

3) permiso, aunque también se considera más correcto usar **may**

You can't smoke here.	*No puede fumar aquí.*
Can I leave now?	*¿Puedo irme ahora?*

Debido a que **can** es defectivo y no tiene infinitivo, tenemos que usar el substituto **(to) be able** para poder formar el futuro, los tiempos compuestos y otras formas verbales que requieran el infinitivo del verbo principal. Ejemplos:

Helen won't be able to go today.	*Elena no podrá ir hoy.*
I have been able to see him.	*He podido verlo.*
You should be able to pass the examination.	*Usted debería poder pasar el examen.*

Would

Would es un verbo auxiliar que se usa para expresar un deseo, preferencia, para solicitar ayuda amablemente, o para expresar un deseo insatisfecho. En estas situaciones también se pueden usar los verbos **can** o **could**.

1. Expresar un deseo con amabilidad (se usa con el verbo **(to) like**):

I would like to go to the movies.	*Me gustaría ir al cine.*

2. Preferencia:

I would rather stay home than go to work.   *Preferiría quedarme en casa en*
vez de ir a trabajar.

3. Solicitar ayuda cortésmente (aquí, también se pueden usar los auxiliares **can** o **could**.):

Would you please help me with this task?
¿Podría usted ayudarme con esta tarea?
Could you please tell me where is the bank?
¿Podría usted decirme donde está el banco?

4. Expresar un deseo insatisfecho, al construir una forma compuesta del presente perfecto:

I would have liked to receive a promotion.
Me habría gustado recibir una promoción.

May, might

May, como el auxiliar **can**, también es verbo defectivo y solamente tiene dos tiempos: **may** en presente y **might** en pasado. Tampoco tiene infinitivo. **May** se emplea para expresar:

1) permiso

May I use your pen?   You may sit next to John.
¿Puedo usar su pluma?   *Usted puede sentarse junto a Juan.*

2) duda o posibilidad

He may go with us, but I doubt it.   *Puede que venga con nosotros, pero*
lo dudo.
The train may arrive a little late.   *Puede que el tren llegue un poco*
retrasado.

3) propósito

They are saving money so that they may take a vacation in Europe next fall.
Ellos están ahorrando dinero para poder tomar vacaciones en Europa el
próximo otoño.

Might se emplea cuando se requiere la forma pasada del auxiliar **may**. Ejemplos:

He thought I might go with him to the party.
Él pensó que yo podía ir a la fiesta con él.

It looked as though the train might arrive a little late.
Parecía como si el tren fuese a llegar con un poco de retraso.

May puede utilizarse para construir una forma pasada perfecta, compuesta del verbo *(to)* *have* más el participio pasado del verbo principal. Esta forma se emplea para expresar cierta posibilidad en el pasado. Ejemplos:

I don't know where Charles may have gone.
No sé adónde Carlos pueda haber ido.
It may have been too late for Mary to come.
Puede que para María haya sido demasiado tarde para venir.

Should, ought

1) **Should** y **ought**, seguidos de un infinitivo, sirven para expresar una especie de obligación leve, similar al uso de debiera o debería en español. Ejemplos:

You should see a doctor. *Usted debería ver un médico.*
Edward ought to study harder. *Eduardo debería estudiar más.*

Nótese que al usarse ought se mantiene el *to* del verbo principal. **Should** y **ought to** tienen el mismo significado y pueden emplearse indistintamente, siendo *should* de uso más frecuente.

2) Debe notarse que la obligación que expresan **should** y **ought** *to* no sólo es débil, sino que también tiene cierto carácter negativo, ya que no se espera que tal obligación o deber sea llevado a cabo. Por ejemplo, cuando decimos: *You should stop smoking.* (Usted debería dejar de fumar), el que habla presume que no se seguirá el consejo y sólamente sirve de admonición o recomendación.

3) Cuando el deber u obligación se expresa en el pasado, se construye con un infinitivo perfecto, compuesto de **should** u **ought**, y el auxiliar **have** más el participio pasado del verbo principal. Al usar esta forma compuesta, su connotación es claramente negativa, indicando que la obligación o deber no se cumplió. Ejemplos:

You should have seen a doctor.
Usted debería haber visto a un médico.
He ought not to have said that.
Él no debería haber dicho eso.

Must, have to

Must es otro verbo auxiliar defectivo, con una sola forma: **must** en presente. Se emplea para expresar lo siguiente:

1) Necesidad imperiosa, también en forma de orden o mandato. Ejemplos:

We must finish this today.
You must do it at once.

Tenemos que terminar esto hoy.
Usted debe hacerlo
inmediatamente.

2) Conjetura o suposición. En este caso must se emplea con el verbo to be. Ejemplos:

This must be John's book; it has his initials on it.
Éste debe de ser el libro de Juan; tiene sus iniciales.

Aunque must no tiene forma pasada, la idea de gran probabilidad o certeza puede expresarse en pasado añadiéndosele el presente perfecto del verbo principal. Ejemplos:

Mr. Smith must have gone home; he is not in his office.
El Sr. Smith debe de haberse ido a su casa; no está en su oficina.

(Es muy probable que se haya ido a su casa, ya que no se encuentra en su oficina.)

It must have rained while we were in the movie.
Debe de haber llovido mientras estábamos en el cine.

(Es muy probable que haya llovido, en vista de que las calles están mojadas.)

Debido a que must solo tiene forma presente, se expresa la idea de necesidad o deber en todos los demás tiempos con el equivalente **have to**, seguido del infinitivo del verbo principal. Ejemplos:

She had to work last night.
We will have to come back tomorrow.
They have had to do it again.

Ella tuvo que trabajar anoche.
Tendremos que regresar mañana.
Ellos han tenido que hacerlo otra
vez.

Have to requiere el uso de los auxiliares **do, does** y **did** en las formas interrogativa y negativa. Ejemplos:

I do not have to work tomorrow.
He did not have to take the test.
How much did you have to pay for that?

No tengo que trabajar mañana.
Él no tuvo que tomar el examen.
¿Cuánto tuvo que pagar por eso?

Cuando el verbo **have** funciona como verbo principal en una oración para expresar pertenencia, se pueden formar oraciones negativas, ya sea enunciativas o interrogativas, sin usar los auxiliares **do**, **does**, **did**, aunque es mucho más común aplicarlos. Por lo tanto, se podría decir:

I <u>have no</u> money.	No tengo dinero.
(I don't have any money.)	
<u>Have you no</u> shame?	¿No tienes vergüenza?
(Don't you have any shame?)	

Nótese que cuando se usa el auxiliar *do*, el *no* cambia a *any*, para evitar el doble negativo.

Al expresar obligación o necesidad, el verbo *have* requerirá el uso de los auxiliares *do*, *does* o *did* en oraciones negativas e interrogativas. Ejemplos:

Does she have to go tonight?	¿Tiene que ir ella esta noche?
I don't have to do it.	No tengo que hacerlo.

P. Concordancia de tiempos en oraciones y cláusulas subordinadas

En inglés, si el verbo principal de la oración está en pasado, todos los demás verbos en la oración deberán subordinarse a éste y expresarse en pasado o pasado perfecto. De esta forma se guarda el orden cronológico y la correcta subordinación de los tiempos de los verbos en la oración. Esto también se aplica en oraciones con verbos auxiliares que tienen forma en pasado, tales como *can-could*, *may-might*, *can-could*. Ejemplos:

John says that he knows her well.	Juan dice que la conoce bien.
John said that he knew her well.	Juan dijo que la conocía bien.
She says she can swim well.	Ella dice que sabe nadar bien.
She said she could swim well.	Ella dijo que sabía nadar bien.
I think I can go to the party.	Pienso que puedo ir a la fiesta.
I thought I could go to the party.	Pensé que podía ir a la fiesta.

Q. Verbos – Conjugaciones en estilo directo e indirecto

Cuando nos referimos a lo dicho por otra persona, repitiéndolo palabra por palabra, estamos empleando el estilo directo (*direct speech*). Ejemplos:

John told me, "I like New York."
Juan me dijo: Me gusta Nueva York.
She asked him, "How old are you?"
Ella le preguntó: ¿Qué edad tiene usted?

Sin embargo, cuando relatamos lo dicho por otra persona sin hacerlo textualmente y con nuestras propias palabras, estamos empleando el estilo indirecto (*indirect speech*). Ejemplos:

John told me that he liked New York.
Juan me dijo que le gustaba Nueva York.

She asked him how old he was.
Ella le preguntó qué edad tenía.

En la conversación informal se cambia constantemente del estilo directo al indirecto. En un contexto más formal o en el idioma escrito, se deben seguir ciertas reglas sintácticas:

1. Al usar el estilo indirecto en cláusulas subordinadas, debe recordarse que el tiempo del verbo principal determina el tiempo de los verbos de la cláusula subordinada. Si el verbo principal (usualmente say o tell) está en presente, futuro *(will say)* o presente perfecto *(has/have said)*, solamente hay que cambiar los pronombres de la cláusula subordinada, es decir sólo se cambia el pronombre *I* por *he/she* (él/ella), ya que nos referimos como en la mayoría de estos casos, a la tercera persona y unimos las dos cláusulas con la conjunción *that* (que), aunque a veces se omite. Por ejemplo, si cambiamos la oración siguiente de estilo directo al indirecto:

Estilo directo
Presente:
John says, "I am fine."   *Juan dice: "Estoy bien".*

Futuro:
She will tell you "I am fine."   *Ella te dirá: "Estoy bien".*

Presente perfecto:
She has said "I am fine."   *Ella ha dicho: "Estoy bien".*

Estilo Indirecto
Presente:
John says (that) he is busy.   *Juan dice que él está ocupado.*

Futuro:
She will tell you (that) she is busy.   *Ella dirá que está ocupada.*

Presente Perfecto:
She has said (that) she is busy.   *Ella ha dicho que está ocupada.*

Otros ejemplos que muestran la concordancia de los tiempos en pasado:

(directo)
Mary said to me, "You should do it."
María me dijo: "Deberías hacerlo".

(indirecto)
Mary told me (that) I should do it.
María me dijo que yo debería hacerlo.

2. Estilo indirecto en preguntas. Al cambiar preguntas directas del estilo directo al indirecto, pierden su forma interrogativa y por lo tanto se convierten en declaraciones.

(directo)
John asked, "Where does Mary live?"
Juan preguntó: "¿Dónde vive María?"

(indirecto)
John asked where Mary lived.
Juan preguntó donde vivía María.

3. Si la pregunta en estilo directo no comienza con alguna palabra interrogativa, como *when*, *where*, *how*, etc., al cambiar al estilo indirecto, debe anteponerse la palabra *whether* o *if* (si o si acaso) a la cláusula subordinada.

(directo)
John asked me, "Does Mary live near the school?"
Juan me preguntó: "¿Vive María cerca de la escuela?"

(indirecto)
John asked me whether Mary lived near the school.
Juan me preguntó si María vivía cerca de la escuela.

4. Estilo indirecto - órdenes o peticiones. Cuando la oración en estilo directo contiene una orden o petición, el verbo del estilo indirecto pasa a su forma infinitiva. Ejemplos:

(directo)
Mr. Smith said to us, "Come back later."
El Sr. Smith nos dijo: "Vengan más tarde".

(indirecto)
Mr. Smith told us to come back later.
El Sr. Smith nos dijo que volviéramos más tarde.

R. Verbos especiales: say – tell (decir)

Los verbos *(to) say* y *(to) tell* tienen básicamente el mismo significado. Sin embargo realizan diferentes funciones y se aplican también de manera diferente, aunque sean parte de una oración en estilo directo o indirecto.

1. *Say* se emplea cuando uno relata algo dicho por alguien, palabra por palabra, pero lo dicho no recae sobre ninguna persona en especial, a no ser que se agreguen las palabras *to me, to you, to him*, etc. Ejemplos:

Mary said that she was tired

María dijo que estaba cansada.

Mary <u>said to me</u> that she was tired.

María me dijo que ella estaba cansada.

The teacher said, "John, you have to do your homework."

El profesor dijo: "Juan, tienes que hacer tu tarea".

The teacher said to John, "You have to do your homework."

El profesor le dijo a Juan: "Tienes que hacer tu tarea."

2. **Tell** implica que lo dicho fue dirigido hacia cierta persona, por lo cual, este verbo siempre va seguido de un nombre o pronombre, sin que éste vaya precedido por la palabra **to**. Ejemplos:

    Mary told <u>me</u> that she was tired.

    María me dijo que ella estaba cansada.

    The teacher <u>told John</u> that he had to do his homework.

    El profesor le dijo a Juan que tenía que hacer su tarea.

S. Expresiones verbales útiles

(To) be going to (ir a)

Cuando queremos indicar el propósito de realizar alguna acción futura, o se planea algo, la frase **going to** es muy común, la cual está seguida por el verbo a conjugar en infinitivo. Ejemplos:

Helen is going to study French next year.

Elena va a estudiar francés el año que viene.

They are going to spend the summer in Mexico.

Van a pasar el verano en México.

Si queremos usar el verbo **go** con **going to**, se puede omitir el verbo para evitar redundancia, pero a veces se mantiene. En inglés informal, es posible escuchar la contracción o forma abreviada *gonna go*. Ejemplos:

We are going (to go) to the movies tonight.

Vamos (a ir) al cine esta noche.

She is going (to go) to Europe next month.

Ella va (a ir) a Europa el mes que viene.

Al usar esta frase en tiempo pasado *(**was going to, were going to**)*, su significado cambia levemente, ya que se puede expresar algo que se pensaba hacer, pero que no se hizo. Ejemplos:

I was going to call you, but I didn't have your number.
Te iba a llamar, pero no tenía tu número.
We were going to eat at home, but later decided to go out.
Íbamos a comer en casa, pero luego decidimos salir a comer afuera.

(To) be supposed to (se supone que)

1. La frase *(to) be supposed to* es de uso frecuente en inglés y se emplea para expresar cierta obligación del sujeto a realizar o cumplir alguna promesa o convenio. Esta frase siempre se emplea en forma pasiva; obsérvese que el agente del verbo *suppose* es la persona o personas que "suponen" o "esperan" que el sujeto realice la acción del verbo. *(To) be supposed to* se usa solamente en los tiempos presente y pasado simples. Ejemplos:

   Helen is supposed to arrive today.
   Se supone que Elena llega hoy.
   The ship was supposed to arrive last night.
   Se esperaba que el barco llegara anoche.
   He is supposed to finish it today.
   Se espera que él lo termine hoy.

2. Algunas veces se suprime la palabra *supposed*, quedándonos solamente con el verbo *(to) be*, más el infinitivo del segundo verbo. El significado no cambia. Ejemplos:

   We are (supposed) to do the work together.
   Se espera que hagamos el trabajo juntos.
   I was to see them in my office.
   Se esperaba que yo los viera en mi oficina.

Used to (acostumbraba, solía)

1. La frase *used to* se emplea con mucha frecuencia para describir una acción que ocurría con frecuencia en una época pasada pero que ya no ocurre. El equivalente en español que más se le aproxima es solía (solíamos, solían, etc.), o acostumbrar (acostumbraba, acostumbrábamos, etc.) En español también podemos usar el pretérito imperfecto del verbo (jugar-jugaba, tener-tenía, etc.) *used to* también va seguido del infinitivo del verbo principal en cuestión. Ejemplos:

   I used to play baseball when I was young.
   Yo solía jugar a la pelota cuando era joven.
   Yo acostumbraba a jugar a la pelota cuando era joven.
   Yo jugaba a la pelota cuando era joven.
   We used to go out more often than we do now.
   Antes nosotros salíamos más que ahora.

64

2. Para evitar la excesiva repetición de *used to* cuando se relata algo que requiere varias oraciones, se acostumbra usar *would* en las oraciones siguientes sin que cambie el significado. Ejemplos:

When I was a teenager, we used to go to the movies on Saturdays. Later, we would go to a restaurant. We would arrive home rather late and would sleep in the next morning.

Cuando era adolescente, solíamos ir al cine los sábados. Después íbamos a un restaurante. Llegábamos a casa bastante tarde y dormíamos hasta tarde a la mañana siguiente.

3. Muchos confunden la frase *used to* con (*to*) *be used to*. *(To) be used to* significa "estar acostumbrado a" y naturalmente va seguida de otra forma verbal, o a veces de un nombre o pronombre. Ejemplos:

I am used to going to bed early.
Estoy acostumbrado a acostarme temprano.
After so many years together, he is used to me already.
Después de tantos años juntos, ya se acostumbró a mí.

Would rather - had better (preferiría, es/sería mejor que)

Las frases *would*, *rather* y *had better* también son de gran utilidad. Ambas actúan como verbos auxiliares y van seguidas por el infinitivo del verbo sin *to*.

1. *Would rather* se usa para expresar una preferencia, y generalmente se usa la forma abreviada del verbo *would* con el pronombre, más la palabra *rather*: *I'd rather*, *we'd rather*, etc. Ejemplos:

I would rather stay home (than go to work).
Prefiero quedarme en casa (que ir al trabajo).

I'd rather go to the beach.
Prefiero ir a la playa.

2. *Had better* indica que es conveniente o aconsejable hacer algo, e incluso se puede usar como una advertencia. Esta expresión verbal también es común usarla en forma abreviada, de la misma manera que la anterior: *I'd better*, *you'd better*, *etc*. Para usarlas en estas formas contraídas o abreviadas, sin confundir su significado, se debe poner atención al contexto de la conversación. Ejemplos:

They had better pay attention to the teacher (if they want to improve their grades).
Más les vale que pongan atención al maestro (si quieren mejorar sus notas).
I'd better go home and study for my exam.
Es mejor que me vaya a casa y estudie para mi examen.

3. La forma negativa se obtiene anteponiéndole **not** al verbo principal. Ejemplos:

We'd rather not talk about it. *Preferimos no hablar de eso.*
We'd better not throw it away. *Sería mejor que no lo botemos.*

Will have to (tendré que)

La forma verbal **have to** en tiempo futuro, **will have to**, se emplea comúnmente para expresaruna consecuencia de algo que sucede o sucedió. Para usar el **have to** en futuro, anteponemos el auxiliar **will** (o en su forma de contracción **'ll**). Ejemplos:

I can't finish my homework now; I'll have to do it tomorrow.
No puedo terminar mi tarea ahora, tendré que hacerlo mañana.
The store was already closed; I will have to come back another day.
La tienda ya estaba cerrada, tendré que volver otro día.

T. Frases verbales (phrasal verbs)

En inglés hay una infinidad de frases verbales, las cuales se componen de un verbo más una preposición o un adverbio (partícula). Esta partícula hace que el verbo se convierta en una forma verbal compuesta, generalmente de dos partes, y donde el significado idiomático original del verbo cambia totalmente. Existe una lista extremadamente extensa de frases verbales, las cuales no son muy difíciles de aprender, ya que a medida que el estudiante avanza en su conocimiento del vocabulario, puede entenderlas y usarlas sin grandes problemas. Ejemplos:

drop (soltar, dejar caer)
drop off (declinar gradualmente)
drop off (parar en algún lugar y entregar algo a alguien)
drop out (dejar de participar, salirse de algo)
drop in (pasar a visitar, "dejarse caer")
drop by (pasar a visitar)

The hill dropped off near the river.
El cerro va en declinación cerca del río.
Would you drop this off at the post office?
¿Podrías pasar a dejar esto al correo?
After two laps, the runner dropped out.
Después de dos vueltas, el corredor se salió de la competencia.
She dropped by the office to see me.
Pasó por la oficina para verme.

Algunas de estas partículas pueden ser separadas del verbo, ya sea por un nombre o un pronombre, pero otras no. Ejemplos:

Separable. add up – agregar

She <u>added up</u> the total on her calculator.
Ella calculó el total en su calculadora.
She <u>added</u> it <u>up</u> on her head.
Ella lo calculó en su cabeza.

Inseparable: get around = evadir(se), escapar(se)

She always <u>gets around</u> the rules.
Ella siempre se escapa de las reglas.

Si separamos esta frase verbal y decimos: *she always gets the rules around*, la nueva oración no tendría sentido en inglés, es decir es incorrecta.

Lamentablemente, no hay reglas claras que nos indiquen cuales frases verbales se pueden o no separar. Así, de deben aprender y memorizar de acuerdo al contexto en que se usan. La siguiente lista contienen algunas de las frases verbales más comunes.

Separable

add up *(agregar)*
back up *(mover hacia atrás, dar apoyo)*
break down *(analizar, separar por partes, ponerse a llorar)*
bring up *(criar niños, sacar o iniciar un tema de conversación)*
call off *(cancelar)*
calm down *(calmar(se)*
clean off *(limpiar la superficie)*
clean out *(vaciar, limpiar y sacar todo)*
clean up *(ordenar)*
clear up *(limpiar, despejar)*
close down *(cerrar permanentemente)*
fill in *(completar una forma por escrito)*
fill out *(completar una forma por escrito)*
fill up *(llenar completamente, preparar una receta médica)*
find out *(descubrir)*
give up *(rendirse)*
pass out *(distribuir)*
pick up *(levantar con las manos)*
point out *(indicar)*
put on *(vestirse, enganar)*
put up *(tolerar)*
show off *(exhibirse con ostentación)*
spell out *(deletrear, enumerar, explicar en detalle)*

think over *(considerar)*
throw away *(botar, desechar)*
touch up *(reparar)*
try on *(probarse ropa)*
turn down *(rechazar, bajar el volúmen)*

No separable

break into *(entrar por la fuerza)*
come across *(encontrar accidentalmente)*
come along with *(acompañar)*
come down with *(enfermarse de)*
count on *(contar con, confiar)*
fill in for *(reemplazar a)*
get away with *(escapar sin castigo o sin ser descubierto)*
get down to *(ponerse serio acerca de algo)*
get in *(entrar)*
get off *(descender, bajarse de)*
go over *(revisar)*
keep up with *(mantener el ritmo de)*
look after *(cuidar a)*
make up for *(compensar)*
put up with *(tolerar)*
stand up for *(defender, apoyar a)*
take after *(parecerse a)*
watch out for *(ser cuidadoso con)*

U. Verbos - El gerundio

Los gerundios en inglés son verbos que actúan como nombres o sustantivos (verbal nouns), y pueden desempeñarse como sujeto de la oración o ser objetos de un verbo o una preposición. Generalmente, su equivalencia en español son los verbos en infinitivo. Ejemplos:

Sujeto:
<u>Walking</u> is very good for your health.
Caminar es muy bueno para la salud.
<u>Reading</u> is my hobby.
La lectura es mi pasatiempo favorito.

Objeto:
I remember <u>reading</u> it.
Recuerdo haberlo leído.
I don't like seeing you like this.
No me gusta verte así.

She dreamed about <u>going</u> on vacation
Ella soñó que iba de vacaciones.

Todos los gerundios en inglés terminan en **–ing,** igual que los participios presentes. A pesar de ser idénticos en apariencia, desempeñan diferentes oficios en la oración. Más adelante, en la sección de los Participios, veremos que el participio presente se usa generalmente como parte de los tiempos continuos o progresivos, por ejemplo: *He is swimming, he was swimming, I have been swimming, etc.* En estos casos **swimming** es un participio presente.

Pero si decimos *swimming is a sport* (nadar es un deporte), la palabra swimming es un gerundio que actúa como sustantivo, de la misma forma que si dijéramos *baseball is a sport.*

1. Uso obligatorio del gerundio

Después de ciertos verbos siempre debe usarse el gerundio y nunca el infinitivo. Estos verbos son:

enjoy *(disfrutar)*
finish *(terminar)*
mind *(molestarle)*
appreciate *(apreciar)*
stop *(parar)*
miss *(faltar, fallar)*
avoid *(evitar)*
consider *(considerar)*
remember *(recordar, acordarse)*
admit *(admitir)*
deny *(negar)*
risk *(arriesgar)*
recall *(recordar)*

Ejemplos:

Would you mind opening the window?
¿Tendría usted inconveniente en abrir la ventana?
It hasn't stopped raining in two days.
No ha parado de llover en dos días.

They finished doing the dishes.
Terminaron de lavar los platos.
The thief denied stealing the car.
El ladrón negó haber robado el automóvil.
My boss is considering raising my salary.
Mi jefe está pensando en aumentarme el sueldo.

2. Infinitivo

Ciertos otros verbos pueden ser seguidos de gerundios o infinitivos indistintamente, como *begin, continue, hate, prefer, like, pretend, etc.* Ejemplos:

He hates to study.	*No le gusta estudiar.*
He hates studying.	
We begin to work at eight.	*Comenzamos a trabajar a las ocho.*
We begin working at eight.	
She continued to explain the lesson.	*El maestro continuó explicando la lección.*
She continued explaining the lesson.	

3. El gerundio como sustantivo después de una preposición

Como ya hemos visto, el gerundio en inglés puede usarse como sustantivo, y como tal puede usarse como sujeto u objeto de cualquier preposición. Ejemplos:

He is tired of waiting.
Él está cansado de esperar.
You have to choose between going to college or working.
Usted tiene que escoger entre ir a la universidad o trabajar.
Her eyes were red from crying.
Sus ojos estaban enrojecidos por el llanto.

Debe notarse que el estudiante de habla española tiende a cometer el error de usar el infinitivo después de una preposición, en vez de un gerundio, como se acostumbra en español *(I am tired of listen)*. La forma correcta es *I am tired of listening* (estoy cansado/a de escuchar).

Ya que el gerundio desempeña la función del nombre, también puede ser modificado por un adjetivo. Ejemplos:

Do you mind my heavy smoking?
¿Le molesta a usted que yo fume tanto?
There is good fishing in that spot.
La pesca es buena en ese lugar.

4. Formas perfecta y pasiva del gerundio

El gerundio, como derivado verbal al fin, tiene forma perfecta y forma pasiva.

a) La forma perfecta del gerundio se usa para denotar algún hecho ocurrido antes que la acción del primer verbo. Así, si el verbo principal está en pasado, debemos usar la forma perfecta del verbo en cuestión *(his saying=his having said)*. Ejemplos:

I recall him saying it to me.
I recalled him having said it to me.

Recuerdo que él me lo dijo.
Recordé que él me lo había dicho.

b) En voz pasiva, el gerundio indica alguna acción que recae sobre el sujeto, ejecutada por otra persona o personas antes que la acción del verbo principal. Se sigue la regla general de la voz pasiva (página 46) empleándose la forma correspondiente del verbo *(to) be* en gerundio *(being)* o en participio pasado *(been)*, más el participio pasado del verbo en cuestión *(told)*. Ejemplos:

Presente:
I recall being told about it.

Recuerdo que fui informado.

Pasado:
I recalled having been told about it.

Recordé que había sido informado.

Otros ejemplos:

(presente activo)
I remember meeting them at the station.
Recuerdo haberlos recibido en la estación.
(presente pasivo)
I remember being met by them at the station.
Recuerdo ser recibido por ellos en la estación.
(perfecto activo)
I remembered having met them at the station.
Recordé haberlos recibido en la estación.
(perfecto pasivo)
I remembered having been met by them at the station.
Recordé que había sido recibido por ellos en la estación.

V. Verbos – El infinitivo

Definición y usos

Cuando hablamos del infinitivo, nos referimos a la forma básica de un verbo o también se dice que es el nombre de un verbo. En inglés, el infinitivo puede usarse con el *to* o sin él *(to be, to go o be, go, etc.)* y puede desempeñar una gran variedad de oficios dentro de la oración: de nombre, de adverbio, de adjetivo, etc. Algunos de estos usos ya se han tratado. El infinitivo, principalmente, se emplea:

1. Como sujeto o predicado verbal (predicado que contiene un verbo) en una oración. Ejemplos:

Sujeto:

To learn English is his objective.

Aprender inglés es su objetivo.

Predicado:

The main thing is to practice often.

Lo importante es practicarlo a menudo.

2. Como complemento directo del verbo. Ejemplos:

I want to finish as soon as possible.

Quiero terminar lo más pronto posible.

He asked me to help him with his work.

Él me pidió que lo ayudara con su trabajo.

3. Como complemento de un adjetivo. Ejemplos:

It wasn't very hard to do.   *No fué difícil de hacer.*

I am sorry to say it.   *Siento decirlo.*

4. Como complemento de los adverbios *too* y *enough*. Ejemplos:

It's too good to be true.

Es demasiado bueno para ser verdad.

We think it is early enough to plant the corn.

Creemos que es suficientemente temprano para sembrar el maíz.

5. Como complemento de un sustantivo. Ejemplos:

She never has any money to spend.

Ella nunca tiene ningún dinero para gastar.

The poor man had no place to live.

El pobre hombre no tenía dónde vivir.

6. Para expresar idea de propósito - por sí solo, o precedido de *in order*, o *so as*. Ejemplos:

He came to this country to live better.

Vino a este país para vivir mejor.

He went there in order to see what was wrong.

Él fue allí para ver qué pasaba.

I get up very early so as not to rush at breakfast.

Me levanto temprano para no apurarme en el desayuno.

Para expresar orden o petición en el estilo indirecto. Ejemplos:

He told me <u>to remind</u> him about it.
Me dijo que se lo recordara.
They asked us <u>to spend</u> the night there.
Nos pidieron que pasáramos la noche allí.

8. Infinitivos sin *to*

a) Cuando es necesario expresar alguna otra acción después de algunos verbos como: **make, let, hear, see, watch, feel**, se emplea el infinitivo sin la palabra *to*. Ejemplos:

We watched John <u>leave</u> the house.
Observamos a Juan salir de la casa.
Mrs. Smith heard someone <u>knock</u> at the door.
La Sra. Smith oyó a alguien tocar a la puerta.
The teacher <u>let us leave</u> early today.
El maestro nos dejó salir temprano hoy.

b) Después de **but** (sino) y **except** (excepto) también se omite el *to* del infinitivo. Ejemplos:

Mr. Miller did nothing but <u>smile</u>.
El Sr. Miller no hizo nada, sino sonreírse.
The Smiths' new baby does nothing except <u>cry</u> all day.
El nuevo bebé de los Smith no hace nada, excepto llorar todo el día.

c) Después del verbo help puede usarse el infinitivo con *to*, o sin el. Ejemplos:

Bill <u>helped me finish</u> the work.
Bill me ayudó a terminar el trabajo.
He <u>helped me to do</u> the dishes.
Me ayudó a lavar los platos.

9. El infinitivo – en forma continua, en presente perfecto, presente perfecto continuo, y en voy pasiva

a) La forma continua o progresiva del infinitivo describe una acción que transcurre al mismo tiempo que la acción del verbo principal de la oración; se forma con el auxiliar **be**, precedido de **to**, más el participio presente **(–ing)** del verbo en cuestión **(to be doing, to be going, etc.)**.

I would like to be going now.   *Me gustaría irme ahora.*

b) El infinitivo también se usa en forma perfecta. En su forma del presente perfecto se construye con *(to) have* más el participio pasado del verbo, y se emplea para describir una acción ocurrida antes del tiempo del verbo principal de la oración. Ejemplos:

(presente)
I am glad to meet you.   *Tengo mucho gusto en conocerlo.*

(presente perfecto)
I am glad to have met you.   *Tengo mucho gusto en haberlo*
                                          conocido.

c) El tiempo perfecto del infinitivo también puede expresarse en forma continua, con *to have been*, más el gerundio del verbo *(to have been doing)*. El infinitivo en su forma perfecta continua se usa para describir una acción que continuó hasta el momento de ocurrir la acción del verbo principal de la oración, *(to) have been doing, (to) have been going, etc.* Ejemplos:

Presente continuo
Albert appears to be learning English fast.
Alberto parece estar aprendiendo inglés rápidamente.

Perfecto continuo
Albert appears to have been learning English fast.
Alberto parece haber estado aprendiendo inglés rápidamente.

Presente continuo:
I seem to be doing fine in school.
Parece que me está yendo bien en la escuela.

Perfecto continuo:
I seem to have been doing fine in school.
Parece que me ha estado yendo bien en la escuela.

W. Verbos - El participio

Definición: El participio es un derivado verbal, por lo tanto puede expresar acción o modo de ser o estar. En inglés hay dos tipos de participios: el participio presente (forma *–ing*) y el participio pasado *(gone, eaten, made, etc.)* Ambas clases de participios se emplean en formar otros tiempos verbales.

En inglés la forma *–ing* puede también actuar como gerundio (gerund), pero sus aplicaciones son diferentes al participio presente (sujeto de la oración, objeto de un verbo o de una preposicion). En la página 68, se explica en más detalles el uso del gerundio.

Cabe destacar también que la forma gramatical llamada gerundio se presta a veces para confusión, ya que en español, se denomina gerundio a la forma verbal llamada participio presente en inglés. Para evitar esta confusión, es necesario aprender y entender las funciones de estas dos formas en inglés, sin darle mayor importancia a su denominación.

1. El participio presente (present participle)

a) Un uso frequente del Participio Presente (forma *–ing*) es en la construcción de los tiempos continuos, los cuales se conjugan con el verbo *(to) be*. Ejemplos:

Presente Continuo:
We are eating at this moment.
Estamos comiendo en este momento

Pasado Continuo:
We were eating when our friends arrived.
Estábamos comiendo cuando llegaron nuestros amigos.

b) Cuando el participio presente expresa una circumstancia o estado de ser o estar, entonces se puede usar como adjetivo. Si esta forma verbal está acompañada de otras palabras, se considera frase, lo cual en inglés se llama *participial phrase* (frase de participio). Ejemplos:

The man talking is the one who won the prize.
El hombre que está hablando es el que ganó el premio.
The man wearing a hat and a coat is Mary's father.
El hombre que lleva sombrero y abrigo es el padre de Mary.

c) El participio presente en forma perfecta (activa y pasiva)

Ya que el participio presente es un derivado verbal, también tiene forma pasiva y forma perfecta, aunque esta última es poco frecuente. Ejemplos:

(activa presente)
Seeing that the door was open, I went in.
Viendo que la puerta estaba abierta, entré.

(activa perfecta)
Having seen that the door was open, I went in.
Habiendo visto que la puerta estaba abierta, entré.

(pasiva presente)
After being hit by a car, the man died.
El hombre murió después de ser atropellado por un automóvil.

75

(pasiva perfecta)
After having been hit by a car, the man died.
Después de haber sido atropellado por un automóvil, el hombre murió.

2. El participio pasado (past participle)

a) El participio pasado se usa para formar los tiempos perfectos: presente perfecto y pasado perfecto. Se conjuga con el verbo *(to) have*. Ejemplos:

Presente Perfecto:
David has eaten at that restaurant many times.
David ha comido en ese restaurante muchas veces.

Pasado Perfecto:
Mary had seen that movie before.
María había visto esa película antes.

El tiempo perfecto en los verbos regulares toma la forma del pasado simple *(talk-talked)*. Sin embargo, en los verbos irregulares es especial, por lo tanto debe aprenderse separadamente ya que sus formas varían según el verbo. Ver página 102 del Apéndice.

b) El participio pasado de muchos verbos se emplea frequentemente como adjetivo. Ejemplos:

(como verbo):
He has already spent all the money he inherited.
El ya ha gastado todo el dinero que heredó.

(como adjetivo):
The money spent belonged to all of us.
El dinero gastado pertenecía a todos nosotros.

(como verbo):
The television set the school had bought was defective.
La televisión que la escuela había comprado estaba defectuoso.

(como adjetivo):
The television set bought by the school was defective.
La televisión comprada por la escuela estaba defectuosa.

X. Las formas condicionales

La oración condicional en inglés generalmente consiste de dos cláusulas: una cláusula subordinada que contiene la condición generalmente precedida por la conjunción *if* (si), y una cláusula principal como resultado a la condición anterior. Ejemplos:

If it rains, I can't go with you.　　　　*Si llueve, no puedo ir contigo.*

Estas dos cláusulas pueden revertir su orden, es decir la condición con *if* puede ir al comienzo o al final. Si cláusula *if* va al principio, generalmente se separa de la cláusula principal por una coma. Ejemplos:

If I go on vacation, I will go to Europe.　　*Si voy de vacaciones, iré a Europa.*
I will go to Europa if I go on vacation.　　*Iré a Europa si voy de vacaciones.*

1. Cláusula con *if* en presente simple, más una cláusula en futuro.

Usamos esta construcción condicional para hablar sobre una situación futura posible, donde la cláusula que expresa el resultado de la condición lleva el *will* o *won't (will not)*. Ejemplos:

If John comes to the office, he will meet with her.
Si Juan viene a la oficina, él se reunirá con ella.

If you lose the game, I won't take you to dinner.
Si pierdes el juego, no te llevaré a cenar.

2. Además del verbo *will* se pueden usar también otros verbos auxiliares como: *can, should, may, might*, etc., en la cláusula principal, para expresar el resultado de la condición como un futuro posible. Ejemplos:

If you go, I might go with you.　　　*Si vas, yo podría ir contigo.*
If they play well, they should win.　　*Si juegan bien, deberían ganar.*
If you save money, you can travel.　　*Si ahorras dinero, puedes viajar.*

3. Cuando hablamos de una respuesta a la condición que siempre es cierta, usamos la cláusula *if*, más una cláusula en presente simple o en modo imperativo (mandato). Ejemplos:

En presente simple:

If I arrive early to school, my teacher always lets me play at the computer.
Si llego temprano, mi profesora siempre me deja jugar con la computadora.

77

If I practice hard every day, I feel confident about my winning the game.
Si practico fuerte todos los días, confío en ganar el juego.

En modo imperativo:

If you want to come to the movies with me, do your homework first!
Si quieres venir al cine conmigo, ¡haz tu tarea primero!
If you are coming, hurry up!
Si vas a venir, ¡apúrate!

4. Para expresar una situación hipotética, improbable o imaginaria, usamos siempre la cláusula condicional *if*, pero con un verbo en pasado simple, seguido de una segunda cláusula condicional con el verbo auxiliary *would*. Ejemplos:

If I had a car, I would probably arrive on time to work.
Si tuviera un automóvil, probablemente llegaría a tiempo al trabajo.
If we walked fast, we could get there in time for the show.
Si camináramos rápido, podríamos llegar allí a tiempo para el show.

Nota: En estos casos, la primera cláusula condicional con el verbo en pasado, se considera como un subjuntivo. Más adelante veremos el uso y formación del modo subjuntivo en detalle.

II.   El modo imperativo

A. Formación y uso del imperativo

1) El imperativo, tanto en inglés como en español, se usa para expresar orden, ruego o petición. En inglés, se construye con el presente del verbo en cuestión y refiriéndose a la segunda persona, singular o plural *(you)* de manera tácita, es decir, no tiene que ser expresada a no ser que se le quiera dar más énfasis. Ejemplos:

(You) Wait here!	*¡Espere aquí!*
Come back later!	*¡Vuelvan más tarde!*
Go to the doctor, please!	*¡Ve al doctor, por favor!*

2) La forma negativa del imperativo se obtiene anteponiendo ***don't*** o ***do not*** al verbo principal. El uso de la contracción en este caso es casi riguroso en la conversación corriente. Ejemplos:

Don't wait here!	*¡No espere aquí!*
Don't come back here again!	*¡No vuelva aquí otra vez!*

3) Se suaviza el imperativo con la palabra **please** (por favor) al principio o al final de la oración, lo cual le da una connotación de un petición amable. Ejemplos:

Wait here, please!	*¡Espere aquí, por favor!*
Please, come back later!	*¡Por favor, vuelva más tarde!*

4) Para expresar orden o ruego en primera persona plural **we** (nosotros), se usa el verbo **let** que es un verbo que significa dejar o permitir, contrayendo este verbo con el pronombre **us**, que es la forma de objeto directo o indirecto del pronombre **we** *(let us=let's)*. Ejemplos:

Let's go!	*¡Vámonos!*
Let's pray for his health!	*¡Oremos por su salud!*
Let's do it!	*¡hagámoslo!*

B. El modo imperativo – substitutos

Muchas veces, por razones de cortesía o respeto, se procura suavizar la orden o petición usando las siguientes formas interrogativas:

1) Con el futuro simple, **will**:

Will you pass the salt, please?   *¿Me pasa la sal, por favor?*

2) Con la terminación especial (tag-ending) **will you?**:

Pass the salt, will you?   *Páseme la sal, ¿sí?*

3) Empleando **do you mind?** o **would you mind?** Ejemplos:

Do you mind passing the salt, please?
¿Tiene usted inconveniente en pasar la sal?
Would you mind moving over one seat?
¿Le importaría correrse un asiento?

4) Con la forma condicional **would you** o **would you like to**. Ejemplos:

Would you do it for me?   *¿Lo harías por me?*
Would you like to go out with me?   *¿Le gustaría salir conmigo?*

III. El modo subjuntivo

A. Formación y uso del subjuntivo

El subjuntivo, además del indicativo y el imperativo, es uno de los tres modos en que una oración se puede expresar. Por lo tanto, no es una conjugación verbal. El modo subjuntivo en inglés es mucho menos usado que en español, ya que en la mayoría de las situaciones donde el subjuntivo es necesario en español, en inglés se puede expresar con un verbo auxiliar o sencillamente con conjugaciones indicativas. Ejemplos:

He should attend the ceremony.	*El debiera asistir a la cermonia.*
I hope she can go.	*Espero que ella pueda ir.*
I hope she goes.	*Espero que ella vaya.*

Al igual que en español, el uso más común del modo subjuntivo es cuando se quiere expresar situaciones hipotéticas, de incertidumbre, mandato, suposición, duda, irrealidad y deseo (si yo pudiera viajar; ojalá llueva mañana; exijo que venga un médico; quizás sea para mejor, son oraciones comúnmente usadas en español que requieren el uso del subjuntivo. Veremos a continuación como se forman las oraciones expresadas en modo subjuntivo en el idioma inglés.

1. Las oraciones en modo subjuntivo usan la forma simple del verbo en infinitivo sin el *to*, es decir: ***go, sing, come, be, etc.***, y sin agregar la –*s* a la tercera persona singular, ya que el subjuntivo no es plural ni singular. Ejemplos:

I demand that he go.	*Exijo que él vaya.*
I insist that they sing.	*Insisto que ellos canten.*
I hope that you come.	*Espero que vengas.*
It's important that you be on time.	*Es importante que estés a tiempo.*
It's essential that she be courteous.	*Es esencial que ella sea amable.*
It'd be good that we all be there.	*Sería bueno que todos estemos allí.*

2. Se usa más comúnmente en oraciones que empiezan con ***that*** (que), tales como:

(I) advise that (aconsejo que)	it is essential that (es esencial que)
(they) ask that (piden que)	it is imperative that (es imperativo que)
(she) demands that (exije que)	it is important that (es importante que)
(he) insists that (insiste que)	it is critical that (es crítico que)
(I) propose that (propongo que)	it is necessary that (es necesario que)
(we) recommend that (recomendamos que)	it is vital that (es vital que)

3. El subjuntivo en oraciones de futuro hipotético.

Al no tener conjugaciones especiales, como en español, el subjuntivo en inglés no tiene formas presente, pasada o futura, ni tampoco es singular o plural. Si queremos expresar el subjuntivo en una construcción de futuro hipotético, usamos la forma **were** del verbo **to be**, más el infinitivo y generalmente le sigue una oración condicional subordinada que lleva el verbo auxiliar **would**. Ejemplos:

If I were to die tomorrow, you would inherit all the money.
Si me muero mañana, tú heredarías todo el dinero.
If they were rich, they wouldn't be happy.
Si fueran ricos, no serían felices.

4. El subjuntivo en oraciones que expresan pasado.

Para expresarlo en construcciones pasadas, se usa la forma perfecta pasada, es decir el verbo **have** en pasado **(had)** más el participio pasado del verbo conjugado. Ejemplos:

I wish I had known yesterday that you were coming.
Ojalá hubiese sabido ayer que venías.
Had I known you were coming, I would have taken the day off.
Si hubiese sabido que venías, hubiese tomado el día libre.
I wouldn't be working here if he hadn't helped me.
No estaría trabajando aquí, si él no me hubiese ayudado.

5. El subjuntivo para expresar formas imperativas o de mandato.

Se usa con ciertos verbos que implican un mandato *(ask, suggest, insist, require, beg, etc.)* y donde la oración en subjuntivo pasa a ser el objeto directo del verbo principal. Ejemplos:

I pray that they leave.
Ruego que ellos se vayan.
I suggest that she return the money.
Sugiero que ella devuelva el dinero.
We asked that Marsha tell the truth.
Pedimos que Marsha diga la verdad.
We demand that the meeting be postponed.
Exigimos que la reunión sea pospuesta.

6. El subjuntivo para expresar deseos con el verbo **to be**

A. El verbo **(to)wish** (desear) que usualmente sirve para referirse a una situación fictícia o algo que no se ha obtenido o realizado, se presta para expresar oraciones en modo subjuntivo. En estos casos se usa la forma **were** del verbo **(to)be** para todas las personas del singular y plural. Algunos expertos en gramática inglesa afirman que **were** es la única forma verbal verdaderamente subjuntiva. Ejemplos:

I wish I were rich.	*Ojalá yo fuese rico.*
I wish she were taller.	*Ojalá que ella fuera más alta.*
I wish they were more punctual.	*Ojalá ellos fuesen más puntuales.*
I wish it were summer already.	*Ojalá ya fuera verano.*

B. Expresiones fijas con subjuntivo

Para otros verbos y cuando el deseo se expresa para una situación presente, se usa el verbo en pasado; si se expresa para una situación pasada, se usa el pasado perfecto; y si se expresa para una situación futura, se usa el verbo auxiliar *would*. Ejemplos:

Presente:	
I wish I had a car now.	*Ojalá tuviera un automóvil ahora.*
Pasado:	
I wish I had seen that movie.	*Ojalá hubiese visto esa película.*
Futuro:	
I wish it would stop raining.	*Ojalá parara de llover.*

7. Hay expresiones fijas que se usan con el modo subjuntivo. Las siguientes son las más comunes:

God bless!	*¡Que Dios le bendiga!*
God forbid!	*¡Dios no lo quiera!*
God help us!	*¡Que Dios nos ayude!*
Peace be with you!	*¡Que la paz esté contigo!*
If need be.	*Si fuera necesario.*
Be that as it may!	*¡Sea lo que sea!*
If I were you...	*Si yo estuviera en tu lugar...*
Till death do us part.	*Hasta que la muerte nos separe.*
So be it.	*Que así sea.*

LA PREPOSICIÓN 7

La preposición, tanto en inglés como en español, es la palabra(s) que establece la relación entre un nombre o sustantivo y algún otro elemento de la oración. Ejemplos:

We are <u>in</u> this room.	*Estamos en este cuarto.*
I came home <u>from</u> work.	*Llegué a casa del trabajo.*
John sat <u>between</u> Ann and me.	*Juan se sentó entre Ana y yo.*
Take your hands <u>out of</u> your pocket.	*Sáquese las manos de los bolsillos.*

1. Existe una regla muy simple acerca de la función de la preposición, y esta regla no tiene excepciones: La preposición siempre va seguida por un nombre o sustantivo, nunca por un verbo. En esta regla se incluye un simple nombre *(cat)*, un nombre propio *(John)*, un pronombre *(you, him, etc.)*, un grupo de palabras que actua como nombre *(my first job)* o un gerundio que actua como nombre, sujeto u objeto en una oración *(swimming)*. Ejemplos:

Nombre:
The food is <u>on the table</u>.　　　　　　*La comida está en la mesa.*

Nombre:
She lives <u>in Japan</u>.　　　　　　*Ella vive en Japón.*

Pronombre:
John is looking <u>for you</u>.　　　　　　*Juan te anda buscando.*

Grupo de palabras:
The pen is <u>under your blue book</u>.　　　*El lápiz está debajo de tu libro azul.*

2. La preposiciones en inglés pueden ser simples, de una sola palabra *(in, for, of,* etc.) o compuestas, de dos preposiciones *(out of, inside of, from within,* etc.)

Mientras que en español hay sólo diecinueve preposiciones bien estipuladas (a, ante, bajo, con, etc.), el número de preposiciones de uso común en inglés es de cincuenta o más, de acuerdo con el criterio con que se empleen. Dentro de las preposiciones simples de uso más frecuente están: *at* (en), *but* (pero) *by* (por, junto a), *for* (para), *from* (de, desde), *in* (en), *of* (de), *on* (sobre), *to* (a), *with* (con), *without* (sin), *until* (hasta).

Otras preposiciones comunes son:

aboard *(a bordo)*	except *(excepto)*
about *(acerca de)*	from among *(de entre)*
above *(sobre, encima de)*	from between *(de entre)*
across *(a través de)*	from under *(de abajo)*
after *(después de)*	into *(hacia adentro)*
against *(contra)*	off *(fuera de)*
along *(a lo largo de)*	out of *(de, de entre, fuera de)*
amid *(en medio de)*	outside *(fuera de)*
among *(entre más de dos)*	over *(sobre, encima de)*
around *(alrededor de)*	around *(alrededor de)*
before *(antes de, ante)*	since *(desde)*
behind *(tras, detrás de)*	through *(por, a través de)*
below *(bajo, abajo)*	throughout *(a lo largo de)*
beneath *(abajo, debajo de)*	unto *(a, hasta)*
beside *(al lado de)*	under *(bajo, debajo de)*
between *(entre dos)*	underneath *(bajo, debajo de)*
beyond *(más allá de)*	up *(hacia arriba)*
down *(abajo)*	upon *(sobre, encima de)*
during *(durante)*	within *(dentro de)*

3. El uso de las preposiciones en inglés es quizás el aspecto más difícil del aprendizaje de la estructura de este idioma. El significado literal de cada una, en la mayoría de los casos, apenas tiene utilidad para el estudiante extranjero.

No hay reglas que se puedan seguir; solamente podemos tratar de observar y memorizar la preposición en relación con la palabra o elementos de la oración con que generalmente se emplean. Por ejemplo: *go to, follow by, in the park, on the street, at home, arrive at*, etc.

La siguiente lista contiene los usos de las preposiciones usadas con más frecuencia, y ejemplos de cómo se usarían en ciertas frases:

at
a) "en" de localidad o condición.
   At home *(en casa)*, at work *(en el trabajo)*, at war *(en guerra)*.
b) "a, hacia," dirección.
   Look at *(mirar a)*, aim at *(apuntar a)*, arrive at *(llegar a)*.
c) "a" con respecto a la hora o el tiempo.
   At two o'clock *(a las dos)*, at noon *(al mediodía)*, at night *(por la noche)*.
by
a) "por" de proximidad, junto a.
   By the house *(junto a la casa)*, by the neighborhood *(por el vecindario)*.

84

b) "por" denotando el que ejecuta cierta acción, el agente en la voz pasiva.
By the same author *(por el mismo autor)*, brought by the mailman *(por el cartero)*.

c) "por" mediante, por medio de.
By plane *(por avión)*, by car *(en automóvil)*, by mail *(por correo)*.

d) "para" (para cierta hora o tiempo).
The work will be finished by tomorrow *(el trabajo estará terminado para mañana)*.

for

a) "para"
This is for you *(esto es para usted)*, for playing *(para jugar)*, for school *(para la escuela)*

b) "por"
For a moment *(por un momento)*. I voted for him *(Voté por él)*, for a long time *(por mucho tiempo)*, three pounds of apples for a dollar *(tres libras de manzanas por un dólar)*.

"como" o " de"
He used a newspaper for an umbrella *(él usó un periódico como paraguas)*, I had chicken for lunch. *(comí pollo de almuerzo)*.

from

"de" o "desde" de procedencia, persona, lugar, o tiempo.
From two to six o'clock *(de las dos a las seis)*, from New York to Mexico *(de Nueva York a México)*, from A to Z *(de la A a la Z)*.

in

"en" o "adentro"
In an hour *(en una hora)*, in the house *(en la casa)*, in a meeting *(en una reunión)*, in July *(en julio)*.

of   "de"

city of Miami *(la ciudad de Miami)*, made of wood *(hecho de madera)*, a book of poetry *(un libro de poesía)*.

on   "encima, en, sobre"

It's on the table *(está sobre la mesa)*, I live on Pine St. *(vivo en Pine St.)*, he wrote on history. *(escribió sobre historia)*, on Monday *(el Lunes)*.

to

a) "a" de dirección.
To the movies *(al cine)*, to Mexico *(a México)*.

b) "para" propósito.
To sleep better *(para dormir mejor)*, to see you *(para verlo a usted)*.

with

a) "con"
With him *(con él)*, with pleasure *(con placer)*, I cut it with a knife. *(Lo corté con un cuchillo.)*

b) "de"
Covered with snow *(cubierto de nieve)*.

B. El lugar de la preposición en la oración

En inglés, generalmente se evita comenzar cualquier pregunta con una preposición, especialmente cuando el objeto de ésta es un pronombre. Debe colocarse la preposición al final de la oración y comenzar con la palabra que sirve para formular una pregunta *(where, what, etc.)* Por ejemplo, en vez de decir: *At what are you looking?*, se dice: *What are you looking at?* Ejemplos:

Where are <u>you</u> <u>from</u>?	*¿De dónde es usted?*
What country did <u>he</u> go <u>to</u>?	*¿A qué país fue él?*
Whom (who) did <u>she</u> come <u>with</u>?	*¿Con quién vino ella?*
Which teacher did <u>he</u> study <u>with</u>?	*¿Con cuál maestro estudió él?*

C. Frases preposicionales (prepositional phrases)

La frase preposicional es un importante elemento del idioma inglés. Consiste en una preposición más un objeto de ella, que puede ser un nombre o un pronombre. La lista de estas frases es extensa. Las siguientes son una muestra de las más comunes y se muestran depende de la función que tienen en la oración:

a) Frases preposicionales que funcionan como adjetivo: Modifican y siguen inmediatamente a un nombre o pronombre. Ejemplos:

Joe is the student <u>with the highest grade.</u>
Joe es el estudiante con la nota más alta.
The only person in class <u>without a book</u> was Jane.
Jane fue la única persona en la clase que no tenía un libro.

b) Las frases preposicionales que funcionan como adverbio, al igual que un adverbio, pueden modificar a un adjetivo, un verbo u otro adverbio. Indica cúando, dónde, cómo la palabra o frase es modificada. Ejemplos:

She put her <u>bird</u> <u>in its cage.</u>
Ella puso su pájaro en su jaula.

86

She requested the merchandise on short notice.
Ella solicitó la mercadería con poca antelación.

Una oración puede tener varias frases preposicionales a la vez. Veamos el siguiente ejemplo que tiene tres de ellas:

During the summer months, they swam in a lake of deep waters.
Durante los meses de verano, se bañaban en un lago de aguas profundas.

"*during the summer months*" funciona como adverbio, pues modifica al verbo **swam** al indicar cúando se bañaban.

"*in a lake*" funciona como adverbio al modificar también al verbo **swam**, indicando dónde se bañaban.

"*of deep waters*" funciona como adjetivo, ya que está modificando al nombre **lake**.

El siguiente cuadro muestra algunas de las frases preposicionales más comunes:

AT
at first – *al principio*
at least – *por los menos*
at most – *a lo más*
at times – *a veces*
at last – *por fin*
at the latest – *lo más tarde*
at once – *ahora mismo*
at risk – *en riesgo*
at loss – *estar perdido/a*

BY
by accident – *por accidente*
by far – *lejos*
by heart – *de memoria*
by chance – *por casualidad*
by the way – *a propósito*
by the time – *para entonces*

FOR
for now – *por ahora*
for example – *por ejemplo*
for sale – *para la venta*
for a while – *por un tiempo*
for the moment – *por el momento*

for ages – *por siglos*
for a change – *para variar*
for better or worse – *para bien o para mal*

FROM
from now on – *a partir de ahora*
from then on – *a partir de entonces*
from bad to worse – *de mal en peor*
from my point of view – *desde mi punto de vista*
from what I understand – *según lo que tengo entendido*

UNDER
under age – *menor de edad*
under control – *controlado*
under the impression – *tener la impresión*
under suspicion – *bajo sospecha*
under consideration – *en consideración*

WITHOUT
without fail – *sin falta*
without notice – *sin aviso*
without exception – *sin excepción*
without success – *sin éxito*

LA CONJUNCIÓN 8

A. Definición general

Definición: La conjunción, tanto en inglés como en español, sirve para relacionar o unir las palabras o grupos de palabras que forman una oración. Por ejemplo:

John and I are friends.   *Juan y yo somos amigos.*
He is either a lawyer or a doctor.   *Él es o abogado o médico.*

B. Conjunciones copulativas y subordinadas

Las conjunciones en inglés pueden clasificarse en dos categorías principales: conjunciones copulativas *(coordinating)* y conjunciones subordinadas *(subordinating)*.

1) Las conjunciones copulativas son las que unen dos elementos del mismo valor gramatical, o sea, un sustantivo con otro, un verbo con otro, una frase o cláusula con otra, y hasta una oración con otra.

Algunas de las conjunciones copulativas más comunes son:

and (y)   *nor (ni)*
but *(pero)*   however *(sin embargo)*
or *(o)*   moreover *(además)*
either-or *(o ... o)*   therefore *(por lo tanto)*
neither-nor *(ni ... ni)*   still *(aún, todavía, sin embargo)*
yet *(aún, todavía)*

Ejemplos:
We had pie and ice cream for dessert.
Comimos pastel y helado de postre.
Do you prefer a single room or a double room?
¿Prefiere usted un cuarto sencillo o uno doble?
We finally got to the station, but it was too late.
Por fin llegamos a la estación, pero ya era demasiado tarde.
I told him not to do it; however, the next day he did it again.
Le dije que no lo hiciera; sin embargo, al día siguiente lo hizo otra vez.
He told me to come either tomorrow or Saturday.
Él me dijo que viniera o mañana o el sábado.

I have <u>neither</u> the time <u>nor</u> the patience for it.
No tengo ni el tiempo ni la paciencia para eso.

2)   Las conjunciones subordinadas son las que unen dos cláusulas, e indican que una se
     subordina a la otra. Ejemplos:

     John called <u>while</u> you were out.
     Juan llamó mientras usted estaba afuera.

Obsérvese que en esta oración la cláusula que empieza con una conjunción "*while you
were out*" une y al mismo tiempo se subordina a la cláusula principal "*John called*".

Las conjunciones subordinadas en inglés pueden denotar:

a)   razón: because *(porque)*, why *(por qué)*, since *(ya que, debido a)*

     I didn't call you <u>because</u> I didn't have your number.
     No lo llamé porque no tenía su número.
     <u>Since</u> he didn't show up, I left.
     Ya que él no apareció, me fui.

b)   tiempo: after *(después)*, before *(antes)*, until *(hasta que)* when *(cuando)*,
     whenever *(siempre que)*, while *(mientras)*.

     <u>When</u> I saw him, he was busy working.
     Cuando lo vi él estaba ocupado con su trabajo.
     They arrived <u>while</u> he slept.
     Ellos llegaron mientras él dormía.

c)   condición: if *(si)*, whenever *(cuando sea)*, whatever *(lo que sea)*, whoever *(quien
     sea)*, whichever *(cual sea)*, provided that *(con tal de que)*, as soon as *(tan pronto
     como)*, when *(cuando)*, before *(antes de que)*, unless *(a menos que)*, as long as
     (mientras que), in case *(en caso de que)*.

     <u>As soon as</u> he comes, let me know.
     Tan pronto como llegue, dígamelo.
     I won't do anything <u>unless</u> he asks me.
     No haré nada a menos que él me lo pida.
     I'll leave when he leaves.
     Me iré cuando él se vaya.

d)   comparación: as *(tan, como)*, as if *(como, si)*, as though *(como si)*, than *(que)*.

     Mary is taller <u>than</u> her brother.
     María es más alta que su hermano.
     He's really poor but he acts <u>as if</u> he were rich.

Él es muy pobre, pero actúa como si fuese rico.

I'll behave <u>as though</u> I don't know anything.

Me comportaré como si no supiera nada.

Nota: Debe observarse que muchas de las palabras citadas como conjunciones tienen también otros funciones dentro de la oración. Por ejemplo, los adverbios ***where, when, since, how, after, before, etc.***, y los pronombres relativos tales como ***who, which, what*** pueden también actuar como conjunciones subordinadas.

(adverbio)
When will they come?

¿Cuándo vendrán ellos?

(conjunción)
I'll tell him <u>when</u> he comes.

Se lo diré cuando él venga.

(pronombre)
What did he say?

¿Qué dijo?

(conjunción)
I don't know <u>what</u> he said.

No sé lo que él dijo.

ALGUNAS REGLAS ORTOGRÁFICAS ÚTILES   9

A. Empleo de las mayúsculas

Al igual que en español, se escriben con mayúscula inicial:

1) La primera palabra de una oración:

> Today, we'll go to the movies. Then, we'll go eat.
> *Hoy iremos al cine. Después iremos a comer.*

2) Todos los nombres propios de personas, lugares o cosas:

> John A. Smith, New York City, The Metropolitan Museum
> Atlantic Ocean, France, Supreme Court, América

3) Los nombres de atributos divinos, apodos de personas famosas o conocidas, los títulos de nobleza o cargos oficiales cuando se emplean en lugar del

the Lord	the King	His Excellency
Saint Joseph	Alexander the Great	the President

4) Los títulos delante de nombres propios, aun cuando no están abreviados:

At Doctor Smith's office	*En la oficina del doctor Smith*
Our pastor is Rev. Jones.	*Nuestro pastor es el Reverendo Jones.*

5) Los títulos de obras literarias, religiosas, artísticas o musicales.

Alice in Wonderland	the Koran
the Divine Comedy	the Star Spangled Banner
the Bible	Blue Danube

A diferencia del español, se escriben con mayúscula:

1) Los días de la semana y los meses del año.

> Monday, Tuesday, Wednesday, Thursday, etc.
> January, February, March, April, May, etc.

2) Todos los adjetivos derivados de nombres propios, generalmente nombres de países,

regiones o nombres geográficos.

French perfume *(perfume francés)*
the German language *(el idioma alemán)*
my Japanese friend *(mi amigo japonés)*
the European situation *(la situación europea)*

3) Los nombres de religiones, razas o grupos étnicos.

the Hebrews *(los hebreos)*
the Hispanics *(los hispanos)*
a Catholic priest *(un sacerdote católico)*
a Buddhist monk *(un monje budista)*

B. Cambios ortográficos

1) Al formar el plural de los sustantivos terminados en *–y* precedida de consonante, se cambia la *–y* por *–i* y se añade *–es*. Esta regla se aplica también a los verbos terminados en *–y*, al formar la tercera persona del singular del tiempo presente. Ejemplos:

baby - babies
dummy - dummies
I study - he studies
they fly - he flies

dairy - dairies
funny - funnies
I carry - he carries
you marry - she marries

En caso de que la *–y* esté precedida de vocal, se añade *–s* solamente:

one key - two keys
delay - delays

we enjoy - he enjoys
I play - he plays

2) En las palabras de una sílaba, usualmente verbos, que terminan en una consonante, ésta se dobla cuando se le añaden sufijos que comienzan en vocal (usualmente *–ed, –ing, –er*):

stop – stopped – stopping - stopper
log – logged – logging - logger

sit – sitted – sitting - sitter
dig – digged – digging - digger

Esta regla también se aplica si la palabra es de más de una sílaba, pero acentuada en la última sílaba y la consonante final está precedida de una sola vocal.

begin – begginer
occur – ocurring

prefer - preferred
permit- permitted

Excepciones:

a) Cuando la palabra termina en consonante precedida de dos vocales o de otra consonante, no se dobla la consonante aunque ésta sea de una sola sílaba o esté acentuada en la última sílaba.

feel - feeling, feeler
talk - talked, talking
turn - turned, turning

complain - complained, complaining
appear - appeared, appearing
repeat - repeated, repeating

b) Tampoco se dobla la última consonante si la palabra tiene más de una sílaba y no está acentuada en la última sílaba.

travel — traveled, traveler
cancel — canceled, canceling

benefit — benefited, benefiting
render — rendered, rendering

c) Al añadirse la terminación –*ly* a adjetivos que terminan en –*l* para formar adverbios, se conserva la –*l* de la palabra original.

Careful - carefully
periodical - periodically

real - really
useful - usefully

3) Las palabras que terminan en –*e* muda *(like, write, take, etc.)* usualmente pierden la –*e* al añadírsele algún sufijo que comience con vocal *(–able, –ous, –ing, –ed, etc.)*:

move— moving, movement

bore — boring, boredom

Excepciones:

a) Pero la conservan cuando el prefijo comienza con consonante *(–ment, –ly, –ful, etc.)*:

like — liked, likely

arrange — arranging, arrangement

b) También la conservan cuando va precedida de –*c* o –*g*, para conservar el sonido suave de estas letras:

service - serviceable
arrange - arrangeable

notice - noticeable
manage - manageable

C. Separación silábica de las palabras en inglés - uso del guión

Cuando se escribe en inglés, la separación de las palabras por sílabas presenta gran dificultad para el estudiante hispano, aún cuando se llega a dominar el idioma. Este problema surge, principalmente, al ser necesario dividir una palabra cuando se llega al final de una línea. Es aconsejable, en la mayoría de los casos, evitar la división de la palabra aunque quede irregular el margen. Las reglas y observaciones siguientes deben tomarse en cuenta al dividir las palabras:

1) No se deben separar las palabras, que aunque se formen con varias letras, suenen como una sola sílaba. Las palabras de una sola sílaba no admiten división alguna.

house	well	lived
floor	join	showed
good	life	changed

La misma regla se aplica a verbos regulares de una sílaba (con la excepción de los verbos que terminan en *–d* o *–t*) que al agregárseles *–ed*, para formar el tiempo pasado, siguen sonando como una sola sílaba, por lo tanto no pueden separarse.

| join – joined | walk – walked | stop – stopped |
| learn – learned | laugh – laughed | miss – missed |

2) No se deben separar las sílabas que constan de una sola letra. Es incorrecto usar el guión de separación de la forma siguiente:

| a-ble | e-lastic | e-lect |
| o-dor | u-niform | |

3) Puede separarse del resto de una palabra algunos prefijos como *–ed*, *–ly*, *–ing*, cuando en la palabra original se dobla la consonante final al añadirle el sufijo. En este caso, se debe llevar la consonante adicional a la línea siguiente:

| omit-ted | careful-ly |
| get-ting | stop-ping |

4) También se separan dos consonantes consecutivas, a menos que claramente formen parte de la misma sílaba.

| mat-ter | perfec-tion |
| cen-tral | pos-sible |

5) En caso de que ninguna de las reglas anteriores sean aplicables, se debe unir cualquier consonante, que esté entre dos vocales, con la sílaba anterior si ésta contiene una vocal corta, o con la siguiente si es larga.

| Vocal corta: | mod-ern | lat-in |
| Vocal larga: | po-lice | la-ter |

APÉNDICE

(to) be   ser, estar
Present tense (Presente)

I am	*soy*	we are	*somos*
you are	*usted es*	you are	*son*
he, she, it is	*es*	they are	*son*

Past tense (Pretérito)

I was	*fui*	we were	*fuimos*
you were	*usted fue*	you were	*fueron*
he was	*fue*	they were	*fueron*

Future tense (Futuro)

I will be	*seré*	we will be	*seremos*
you will be	*usted será*	you will be	*serán*
he will be	*él será*	they will be	*serán*

Subjunctive mode - Modo subjuntivo

(to) be   ser, estar
Present tense (Presente)

(que yo sea)

(that) I be	(that) we be
(that) you were	(that) you be
(that) he, she, it be	(that) they be

Otros tiempos son iguales a los del modo indicativo.

Modelos de conjugaciones (conjugación)

(to) work   *trabajar (forma simple)*
Present tense (Presente)

(Yo trabajo)

I work	we work
you work	you work
he, she, it works	they work

Past perfect tense (Pretérito Perfecto)

I have been	*he sido*	we have been	*hemos sido*
you have been	*usted ha sido*	you have been	*han sido*
he has been	*ha sido*	they have been	*han sido*

Present perfect tense (Pretérito pluscuamperfecto)

I had been	*había sido*	we had been	*habíamos sido*
you had been	*había sido*	you had been	*habían sido*
he had been	*había sido*	they had been	*habían sido*

Future perfect tense (Futuro perfecto)

I will have been	*habré sido*	we will have been	*habremos sido*
you will have been	*habrás sido*	you will have been	*habrán sido*
he will have been	*habrá sido*	they will have been	*habrán sido*

Past tense (Pretérito)

(que yo fuera)

(that) I were	(that) we were
(that) you were	(that) you were
(that) he, she, it were	(that) they were

Present perfect tense (Pretérito Perfecto)

(Yo he trabajado)

I have worked	we have worked
you have worked	you have worked
he has worked	they have worked

Past tense (Pretérito) *(Yo trabajé)*

I worked	we worked
you worked	you worked
he worked	they worked

Future tense (Futuro) *(Yo trabajaré)*

I will work	we will work
you will work	you will work
he will work	they will work

Present tense (Presente) *(Yo estoy trabajando)*

I am working	we are working
you are working	you are working
he is working	they are working

Past tense (Pretérito) *(Yo estaba trabajando)*

I was working	we were working
you were working	you were working
he was working	they were working

Future tense (Futuro) *(Yo estaré trabajando)*

I will be working	we will be working
you will be working	you will be working
he will be working	they will be working

Passive voice Voz pasiva

(to) see   ver

Present tense (Presente) *(Yo soy visto)*

I am seen	we are seen
you are seen	you are seen
he is seen	they are seen

Past tense (Pretérito) *(Yo fui visto)*

I was seen	we were seen
you were seen	you were seen
he was seen	they were seen

Future tense (Futuro) *(Yo seré visto)*

I will be seen	we will be seen
you will be seen	you will be seen
he will be seen	they will be seen

Past perfect tense (Pretérito pluscuamperfecto) *(Yo había trabajado)*

I had worked	we had worked
you had worked	you had worked
he had worked	they had worked

Future perfect tense (Futuro perfecto) *(Yo habré trabajado)*

I will have worked	we will have worked
you will have worked	you will have worked
he will have worked	they will have worked

Present perfect tense (Pretérito perfecto) *(Yo he estado trabajando)*

I have been working	we have been working
you have been working	you have been working
he has been working	they have been working

Past perfect tense (Pretérito pluscuamperfecto) *(Yo había estado trabajando)*

I had been working	we had been working
you had been working	you had been working
he had been working	they had been working

Future perfect tense (Futuro perfecto) *(Yo habré estado trabajando)*

I will have been working	we will have been working
you will have been working	you will have been working
he will have been working	they will have been working

Present perfect tense (Pretérito perfecto) *(Yo he sido visto)*

I have been seen	we have been seen
you have been seen	you have been seen
he has been seen	they have been seen

Past perfect tense (Pretérito pluscuamperfecto) *(Yo había sido visto)*

I had been seen	we had been seen
you had been seen	you had been seen
he had been seen	they had been seen

Future perfect tense (Futuro perfecto) *(Yo habré sido visto)*

I will have been seen	we will have been seen
you will have been seen	you will have been seen
he will have been seen	they will have been seen

Verbos irregulares de uso frecuente

Infinitive *Infinitivo*	Past *Pasado*	Past participle *Participio pasado*
arise, *levantarse*	arose	arisen
awake, *despertar(se)*	awoke	awoken
be, *ser, estar*	was, were	been
bear, *producir, parir*	bore	born
bear, *cargar, llevar*	bore	borne
beat, *golpear, latir*	beat	beaten
become, *volverse, convertirse*	became	become
begin, *empezar, comenzar*	began	begun
bend, *torcer, encorvar*	bent	bent
bet, *apostar*	bet	bet
bind, *atar, envolver, encuadernar*	bound	bound
bite, *morder*	bit	bitten
bleed, *sangrar*	bled	bled
blow, *soplar*	blew	blown
break, *romper*	broke	broken
bring, *traer*	brought	brought
build, *construir*	built	built
burst, *reventar*	burst	burst
buy, *comprar*	bought	bought
cast, *arrojar, echar, fundir*	cast	cast
catch, *coger*	caught	caught
choose, *escoger*	chose	chosen
cling, *adherir*	clung	clung
come, *venir*	came	come
cost, *costar*	cost	cost
creep, *arrastrar*	crept	crept
cut, *cortar*	cut	cut
dare, *osar*	dared	dared
deal, *tratar*	dealt	dealt
dig, *excavar*	dug	dug
do, *hacer*	did	done
draw, *dibujar, extraer*	drew	drawn

Infinitive Infinitivo	Past Pasado	Past Participle Participio Pasado
drink, *beber*	drank	drunk
drive, *conducir, manejar*	drove	driven
eat, *comer*	ate	eaten
fall, *caer*	fell	fallen
feed, *alimentar*	fed	fed
feel, *sentir, palpar*	felt	felt
fight, *pelear*	fought	fought
find, *encontrar*	found	found
fling, *arrojar, lanzar*	flung	flung
fly, *volar*	flew	flown
forget, *olvidar*	forgot	forgotten
forgive, *perdonar*	forgave	forgiven
freeze, *congelar*	froze	frozen
get, *conseguir, volverse*	got	gotten-got
give, *dar*	gave	given
go, *ir*	went	gone
grind, *moler*	ground	ground
grow, *crecer, madurar*	grew	grown
hang, *colgar*	hung	hung
have, *tener*	had	had
hear, *oír*	heard	heard
hide, *esconder*	hid	hidden
hit, *golpear*	hit	hit
hold, *sostener*	held	held
hurt, *lastimar*	hurt	hurt
keep, *guardar*	kept	kept
know, *saber, conocer*	knew	known
lay, *colocar*	laid	laid
lead, *dirigir*	led	led
leave, *dejar, abandonar, partir*	left	left
lend, *prestar*	lent	lent
let, *permitir*	let	let
lie, *yacer*	lay	lain
light, *encender*	lit	lit
lose, *perder*	lost	lost

Infinitive Infinitivo	Past Pasado	Past Participle Participio Pasado
make, *hacer*	made	made
mean, *significar*	meant	meant
meet, *encontrar, conocer*	met	met
owe, *deber*	owed	owed
pay, *pagar*	paid	paid
put, *poner*	put	put
quit, *dejar*	quit	quit
read, *leer*	read	read
ride, *montar*	rode	ridden
ring, *sonar*	rang	rung
rise, *levantar(se)*	rose	risen
run, *correr*	ran	run
say, *decir*	said	said
see, *ver*	saw	seen
seek, *buscar*	sought	sought
shake, *sacudir*	shook	shaken
sell, *vender*	sold	sold
send, *enviar*	sent	sent
set, *poner*	set	set
shave, *afeitar*	shaved	shaved, shaven
shine, *brillar*	shone	shone
shoot, *disparar*	shot	shot
show, *mostrar*	showed	shown
shrink, *encoger*	shrank	shrunk
shut, *cerrar*	shut	shut
sing, *cantar*	sang	sung
sink, *hundir(se)*	sank	sunk
sit, *sentarse*	sat	sat
sleep, *dormir*	slept	slept
slide, *deslizar*	slid	slid
slit, *rajar, cortar*	slit	slit
speak, *hablar*	spoke	spoken
speed, *correr*	sped	sped
spend, *gastar*	spent	spent
spin, *girar*	spun	spun

Infinitive Infinitivo	Past Pasado	Past Participle Participio Pasado
split, *fracturar*	split	split
spread, *esparcir*	spread	spread
spring, *saltar*	sprang	sprung
stand, *parar(se)*	stood	stood
steal, *robar*	stole	stolen
stick, *pegar, meter*	stuck	stuck
sting, *picar*	stung	stung
strike, *golpear*	struck	struck
string, *colgar*	strung	strung
swear, *jurar*	swore	sworn
sweep, *barrer*	swept	swept
swim, *nadar*	swam	swum
swing, *oscilar, colgar*	swung	swung
take, *tomar*	took	taken
teach, *enseñar*	taught	taught
tear, *rasgar*	tore	torn
tell, *decir*	told	told
think, *pensar, creer*	thought	thought
throw, *hechar, tirar*	threw	thrown
understand, *comprender*	understood	understood
wake, *despertar*	woke (waked)	woken
wear, *usar, llevar puesto*	wore	worn
weave, *tejer*	wove	woven
wed, *casar(se)*	wed	wed
weep, *sollozar*	wept	wept
wet, *mojar*	wet	wet
win, *ganar*	won	won
wind, *dar cuerda*	wound	wound
wring, *exprimir*	wrung	wrung
write, *escribir*	wrote	written